BERNADETTE GASTINEAU

Yoga y perineo

Ejercicios sencillos y prácticos para reeducar el suelo pélvico

EDICIONES OBELISCO

Si este libro le ha interesado y desea que le mantengamos informado de nuestras publicaciones, escríbanos indicándonos qué temas son de su interés (Astrología, Autoayuda, Ciencias Ocultas, Artes Marciales, Naturismo, Espiritualidad, Tradición...) y gustosamente le complaceremos.

Puede consultar nuestro catálogo en www.edicionesobelisco.com

Los editores no han comprobado la eficacia ni el resultado de las recetas, productos, fórmulas técnicas, ejercicios o similares contenidos en este libro. Instan a los lectores a consultar al médico o especialista de la salud ante cualquier duda que surja. No asumen, por lo tanto, responsabilidad alguna en cuanto a su utilización ni realizan asesoramiento al respecto.

Colección Salud y Vida Natural
Yoga y perineo
Bernadette Gastineau

1.ª edición: septiembre de 2014

Título original: *Yoga et périnée*

Traducción: *Mireia Terés Loriente*
Corrección: *Sara Moreno*
Maquetación: *Juan Bejarano*
Diseño de cubierta: *Enrique Iborra*

Edita: Ediciones Obelisco, S. L.
Pere IV, 78 (Edif. Pedro IV) 3.ª planta, 5.ª puerta
08005 Barcelona - España
Tel. 93 309 85 25 - Fax 93 309 85 23
E-mail: info@edicionesobelisco.com

ISBN: 978-84-15968-92-4
Depósito Legal: B-10.962-2014

Printed in India

Prólogo

Este libro va dirigido tanto a hombres como a mujeres.

Cuando hablo del suelo pélvico en mis clases, a los hombres les cuesta darse por aludidos, básicamente porque la mayoría desconoce esta zona y algunos incluso creen que no tienen.

Serge Gastineau, mi marido y profesor de yoga como yo, hace tiempo que se interesa por esta zona y me ayuda a hablar sobre ella con los hombres porque, a pesar de que el funcionamiento es prácticamente el mismo en todos, tenemos que encontrar un nuevo lenguaje que refleje una anatomía un tanto distinta y, sobre todo, una experiencia distinta.

Mi marido ha participado activamente en la creación de este libro y nuestra complicidad en esta investigación me produce una gran alegría.

Para las fotos, he decidió trabajar con Annie Lacroix-Atibard, profesora de artes aplicadas y yoga. Como le interesaba nuestro trabajo, se ha ofrecido a realizar las fichas técnicas de yoga. Dentro del proyecto de las fichas técnicas, empezamos por el perineo, y de ahí nació este libro.

Le estoy profundamente agradecida.

Annie no es una profesional y nos pide que consideremos sus fotografías como ilustraciones de un cuaderno de viaje. Se hicieron en directo y reflejan la espontaneidad del momento.

Como modelo, hemos elegido a Fabienne Allain-Claye, grafóloga y profesora de yoga, a quien Annie conocía muy bien y que asiste con regularidad a nuestros cursos.

También veréis unas ilustraciones preciosas que ha realizado Cécile Nivet, una de mis alumnas, que es artista. Las ilustraciones corresponden a un encargo de Pierre Jouve para la película *Le passage de la tête dans le bassin* («El paso de la cabeza por la pelvis»), dirigido a estudiantes de medicina y comadronas. La película recibió un premio en los encuentros de Bichat el año 1974.

Le agradezco que me haya cedido las ilustraciones, que suelo utilizar con regularidad cuando trabajo con mujeres embarazadas.

Gracias a mi hija Marion, que me ha ayudado con la edición del libro y con toda la parte más técnica.

Gracias a Anne-Marie Gudin y a Stéphanie Rival Menétrier, responsables de la librería L'autre Rive de Nantes, por su constante apoyo en este proyecto.

Gracias a Édith Lecouvey, una vieja amiga y profesora de yoga, con quien suelo conversar frecuentemente acerca de mi trabajo. Aceptó releer el libro y me permitió concretar más en lo que más me interesa; es decir, la práctica de yoga.

Introducción

Cuando hablamos del perineo, normalmente nos limitamos a reeducarlo y nos olvidamos de que esta zona tiene una historia que hay que pararse a escuchar.

Existen muy buenos libros al respecto y yo organizo cursos que me han permitido entender mejor la complejidad de esta zona, pero la comprensión más profunda me la ha dado, sobre todo, la experiencia.

Si decido abordar el tema como profesora de yoga es para hablar, ante todo, de yoga. ¿Cómo cuidan el perineo las posturas de yoga y cómo se convierte el perineo en una guía para las posturas?

Cuando empecé a practicar yoga, allá por el año 1975, el perineo sólo aparecía cuando se hacía referencia al mula bandha del que hablaré más adelante, y simplemente se recomendaba apretar el ano, algo muy poco concreto.

Después, en los años ochenta, conocí a Jacques Thiébault, y aquello fue una revelación.

Le interesaba más el camino hacia la postura que la propia postura. No podíamos abordar una postura sin antes tener en cuenta los apoyos, sobre todo las manos y los pies.

Hablaba de empujarnos en lugar de apoyarnos, para alejarnos del suelo. Hablaba de las señales: la señal de separar las manos, la señal de empujar la colchoneta, la señal de la espiral, etc.

El apoyo se convertía en un movimiento permanente que evitaba que nos cayéramos.

El trabajo del perineo se convertía en el ascenso de la masa visceral, y participaba en cada postura al ritmo de la respiración. Empezábamos cada postura espirando y elevando el perineo. Jacques se refería al perineo como a un fundamento.

Desde entonces, utilizo constantemente estas referencias que tanto me han servido.

Desde que lo conocí, supe que su investigación me sería de gran utilidad para tratar una esterilidad que empezaba a preocuparme.

Notaba poca movilidad en la zona de la pelvis menor, sufría de cistitis constantemente, y empecé a atar cabos con todo lo que había aprendido.

Jacques había introducido una cierta «alegría de vivir» en este trabajo específico y me entusiasmaba.

Hacía ya tiempo que quería tener un hijo, estar embarazada, parir, y las puertas empezaban a abrirse.

Ya hacía varios años que era profesora de yoga y, como por arte de magia, las mujeres embarazadas empezaron a acudir a mis clases. En aquel momento, eso apenas me interesaba. Sin embargo, en lugar de rechazar lo que me molestaba, decidí interesarme por ello y me introduje de lleno en el proyecto de «creación».

Fue una larga travesía porque, como suele suceder cuando empezamos a interesarnos por algo, me lancé de cabeza.

Y, al mismo tiempo, todo fue muy deprisa. Además del yoga que practicaba de forma cotidiana, llevaba casi nueve años acudiendo a terapia y me sentía como un árbol más sólido en las raíces y en el tronco de la columna. Las ramas empezaban a asomar, notaba cómo nacían las ramas y estaba dispuesta a recoger los frutos de mi andadura interior.

Hablamos de nueve meses para traer un bebé al mundo, pero yo estuve casi nueve años trabajando para permitir que mi vientre, y todo mi cuerpo, estuvieran en el lugar adecuado para iniciar ese proceso.

Y, nueve meses después, llegó el bebé. Había soñado con ese momento y nada salió como lo había previsto, se abrió una herida profunda, me sentía en la más auténtica indigencia y lo cotidiano no me ofrecía ninguna escapatoria.

Mi libro *Yoga et enfantement*, aparte de todas las reflexiones que he realizado acerca de mi trabajo con mujeres embarazadas, evoca todo ese período que supuso, para mí, una travesía por el desierto, unas ganas insaciables de disfrutar plenamente de la vida que se me había ofrecido. Estaba como en el fondo de un pozo, sin poder aplacar la sed, y con un deseo loco de volver a subir a la superficie. Y mi hija estaba entre mis brazos, desbordando Amor...

Jacques murió poco después del nacimiento de mi hija, pero ya me había trasmitido el anhelo de disfrutar de ese nuevo camino.

Después del parto, mi perineo quedó como ausente, sin vida, y no respondía a ningún estímulo. Notaba como una abertura, un agujero negro al final de la pelvis y, al parecer, nada de lo que sabía sobre esa zona servía para ayudarme.

¿Cómo se reeduca un perineo que se ha vuelto insensible?

El yoga me ayudó a reencontrarme. Las posturas tenían un nuevo sabor. Tenía la sensación de estar redescubriéndolo todo y debo admitir que, dentro de su fragilidad, el perineo me ha ofrecido una serie de experiencias nuevas.

Y esas experiencias personales han cambiado mi trabajo con mis alumnos.

Muchas mujeres vienen a verme después de dar a luz. Algunas habían acudido a cursos de reeducación con el kinesiterapeuta o la comadrona, y los abandonaron porque sentían que estaban fracasando.

Esos mismos kinesiterapeutas o comadronas les dieron mi nombre, pero también lo hacen osteópatas y médicos que creen en la necesidad de un trabajo global.

La reeducación, aunque haya sido exitosa, merece ser prolongada. No se trata de ejercicios que haya que realizar, sino de una educación postural que permitirá que la mujer se cuide.

Cada mujer lleva su mochila de experiencias y hay que «trabajarlas» todas.

Con el yoga, el síntoma sólo nos interesa si está contextualizado.

En este libro, veremos cómo el yoga permite abordar una cuestión particular como la del perineo dentro del conjunto del cuerpo.

Sigo interesándome por las mujeres embarazadas, pero también por todas las mujeres que acuden a mis clases y me hablan de problemas de incontinencia, de esterilidad, de estreñimiento, etc., y que tienen ganas de empezar a cuidarse.

Suelo organizar talleres para abordar todas estas cuestiones.

Los hombres también asisten a mis clases y también lo comento con ellos. Al contrario que las mujeres, ellos nunca acuden a mí personalmente para explicarme problemas de perineo, pero no es extraño que abordemos el asunto cuando alguna mujer lo comenta.

También organizo un curso con adolescentes y solemos tratar las experiencias personales con esta zona. Los adolescentes están experimentando grandes cambios en sus cuerpos y hablar del perineo es algo muy profundo de lo que no suelen tratar en su vida cotidiana.

En el libro, veremos una serie de fotografías de tres de ellos que han aceptado dejarse fotografiar durante una sesión «especial para el libro».

Este libro pretende permitir que todo el mundo, pequeños y grandes, chicas y chicos, hombres y mujeres, se preocupe por este punto que afecta a cómo orinamos, cómo defecamos y cómo vivimos nuestra sexualidad. El perineo es nuestro fundamento, un lugar de abertura a uno mismo y a lo más profundo y elevado de nuestro ser.

Me referiré al perineo, al suelo pélvico o al diafragma pélvico dependiendo del contexto.

En el lenguaje corriente, y en determinados libros, el perineo engloba toda la musculatura del fondo de la pelvis. En otros libros, hablan del suelo pélvico y el perineo queda reducido a la zona situada entre el ano y el sexo.

Yo preferiría hablar únicamente de suelo pélvico, porque la palabra «suelo» se refiere a una zona extensa, sólida y sobre la que podemos apoyarnos, aunque siempre con la condición de que sea flotante para que el apoyo no se rompa pero, al mismo tiempo, nos permita rebotar.

Si hablo de perineo es más por comodidad y porque es la palabra más habitual en el lenguaje corriente.

Cuando hable de las posturas, utilizaré lo menos posible los nombres sánscritos, porque creo que no aporta nada a la investigación y puede ser un obstáculo para aquellos lectores que nunca hayan practicado yoga.

Porque este libro también va dirigido a los neófitos en yoga. Aprenderán mucho y, quizá, tengan ganas de empezar a practicarlo si quieren profundizar en este asunto.

Empezaremos hablando de yoga y en seguida pasaremos al objeto principal del libro. Empezaré por las mujeres, porque están más cercanas a mi experiencia, pero no lo haré sin pensar en los hombres, que pueden trasladar a su propia anatomía lo que se exponga sobre las mujeres. Además, cederé la palabra a mi marido que, a partir de su experiencia, abordará la cuestión del perineo en los hombres.

A continuación veremos cómo el perineo se convierte en un camino de iniciación desde la infancia hasta el final de nuestras vidas.

Primera parte

Perineo y yoga, un cuidado global

Algunas reflexiones acerca del yoga

En este capítulo, hablaré de lo que enseño junto a mi marido Serge. Ambos hemos tenido casi la misma trayectoria y creamos un centro de yoga que dirigimos juntos.

Ambos empezamos a practicar yoga con Marie-Antoinette Bourdin, discípula de BKS Iyengar. Ella nos trasmitió su entusiasmo y, a pesar de que hayamos trasformado su trabajo en función de todas nuestras investigaciones, hemos mantenido las posturas de base que aprendimos con ella. También hemos trabajado con Martine Le Chenic, seguidora de la misma escuela.

Como he señalado en la introducción, trabajamos un largo período de tiempo con Jacques Thiébault, cuyas virtudes ya hemos mencionado, y con Dominique Martin, osteópata y practicante de yoga, que nos ha iniciado en el terreno osteoarticular.

Todos estos conocimientos nos han estructurado y, sobre todo, nos han permitido enfocar el trabajo de una forma todavía más personal.

Serge y yo empezamos cada día con una sesión de yoga conjunta y, luego, cada uno sigue con su trabajo individual. Los dos tenemos nuestras clases y lo que enseñamos es muy personal. Solemos dar juntos talleres y cursos de forma regular.

Exigimos a nuestros alumnos que practiquen en casa y que, como nosotros, busquen *su* yoga.

Por lo tanto, estoy muy impregnada de este trabajo en pareja. En el terreno del yoga, Serge es mi guía y mi colega.

En el libro, relato sobre todo mi experiencia, aunque a veces utilizaré el «nosotros» porque, en general, es una historia de dos.

No pretendo tratar el yoga de forma genérica, porque ya hay muchos libros que lo hacen. Sólo pretendo abordar una cuestión en concreto dentro del contexto del yoga.

Pero, ¿qué entendemos por yoga?

El yoga no es una terapia. Es mucho más. Si estudiamos las posturas en función de un problema en particular, nos cerramos a toda la riqueza de la postura.

Sin embargo, igual que digo esto puedo decir lo contrario. Algunas posturas ofrecen una ocasión privilegiada para abordar momentos concretos de la vida, y me refiero a la postura de la vela, que realmente puede ayudar a las mujeres en el momento de la menopausia. Sin embargo, si se realiza únicamente con el objetivo de olvidarse de los sofocones, pierde su esencia.

Tener un objetivo puede darnos alas para iniciar un trabajo concreto, pero con la condición de no aferrarnos demasiado a los resultados.

El yoga es una práctica exigente que nada tiene que ver con determinadas técnicas que persiguen, ante todo, el bienestar. No se trata de dormir el cuerpo, de anestesiarlo, sino todo lo contrario: despertarlo, sacar a la luz tensiones, miedos y angustias, y eso no siempre es agradable.

Perdemos el movimiento con demasiada frecuencia. Desde el momento en que aparece un problema, físico o mental, activamos toda una serie de protecciones: la inmovilidad, las presiones, la moderación, etc.

Desde el momento en que algo se atasca en nuestro interior, la vida se para.

Suelo poner el ejemplo de una casa que está deshabitada durante un tiempo. Ya no es la misma casa, porque en seguida la invaden las telas de araña, el polvo, la humedad, etc. Vale más una casa desordenada que una casa cerrada.

Vale más enfrentarnos al desorden que a un orden inmovilizado.

Y ahí radica la riqueza del yoga, en la variedad de posturas. Cada postura nos ayuda a sentir la «enormidad» del cuerpo y nos descubre nuevos espacios que estaban inexplorados hasta ese momento.

Cuando hablamos de postura nos referimos al camino hacia la postura, a la propia postura y al regreso a la posición neutra.

La postura depende del camino. Y el camino puede ser muy largo.

La mayor parte de las posturas exigen una gran preparación para los occidentales, que no estamos acostumbrados a sentarnos en el suelo, con las piernas cruzadas o de cuclillas, a inclinarnos sobre las caderas, a sentir los apoyos sobre la marcha, a relajar las articulaciones, a desperezarnos de forma habitual, etc.

Por lo tanto, necesitamos ayuda, apoyo; un profesor que nos guíe, que nos corrija y que nos dé instrucciones precisas.

Empezamos con la idea de que no sabemos nada acerca de nuestro cuerpo y, por desgracia, suele ser la verdad. Hemos perdido toda la espontaneidad, e incluso iré más lejos: ¿la hemos llegado a tener en algún momento? ¿Acaso no estamos impregnados, desde la concepción, de la historia corporal y afectiva de nuestros ascendentes?

En los textos de yoga, se suele decir que tenemos que borrar la memoria, tenemos que eliminar los condicionantes y dirigirnos hacia un nuevo camino de la Verdad. Y, para hacerlo, tenemos que estar iluminados, guiados y sometidos a las leyes del universo, las leyes del cuerpo.

No tenemos ninguna libertad de movimiento; el cuerpo está estructurado, el movimiento está estructurado, y a medida que nos alejamos de esta estructura, el cuerpo se extravía, se pierde. Sufre.

Me acuerdo de un arquitecto que nos decía que lo que más le complacía de su trabajo eran las imposiciones. Y nosotros podríamos decir lo mismo: somos arquitectos y no podemos vivir en nuestro cuerpo sin conocer todas las imposiciones. Ésa es nuestra gran libertad.

Cuando lo comentamos, nos suelen responder que los orientales no tienen por qué conocer la anatomía para realizar posturas bonitas. Pero es que los orientales viven la anatomía. Si han experimentado un ambiente cercano a la naturaleza, a su naturaleza, saben cómo vivir en su cuerpo. Algunos incluso han sido criados así desde la más tierna infancia, mientras que nosotros no hemos recibido, en general, ninguna educación en ese terreno.

No nos privemos de todo lo que podría ayudarnos. No estamos hablando de una anatomía teórica, sino de una anatomía vivida.

Hay que estudiar, diseccionar, observar con lupa y bajo una lente microscópica cada postura, aunque sin hacerla rígida, y eso es, sin duda, lo más difícil.

Las respiraciones nos permiten descubrir los volúmenes y los espacios, y ahí acariciamos la poesía, la música y la danza.

Sin ese exigente trabajo, seguiremos pegados a las costumbres y a la historia. Caemos siempre en las mismas trampas e intentamos llegar a un acuerdo con nosotros mismos mediante compensaciones que enmascaran los fallos.

No hay que ser perfectos, pero hay que perseguir la perfección.

Tenemos ganas de que nos guíen, nos toquen, nos consientan. El cuerpo se escurre incesantemente entre costumbres y compensaciones, y necesita que alguien lo canalice y lo detenga. Y ése es el trabajo del profesor.

Jamás permitimos que un músico descubra solo su instrumento. ¿Acaso el cuerpo no es el instrumento más complejo que existe?

Los mejores profesores han sido los más exigentes. A los demás los hemos olvidado en seguida.

Y por eso dedicamos un tiempo, a veces muy largo, a diseccionar cada postura. No dudamos en corregir a nuestros alumnos y, a menudo, la corrección pasa por tocarlos.

Tocar no quiere decir manipular, sino guiar al otro con las manos. Y hacerlo también es un arte que se aprende con el paso de los años.

No vivimos ajenos a la torpeza, a la posición de poder, al querer cambiar al otro, pero creemos que es preferible correr ese riesgo que dejar al otro totalmente libre. Sabrá aprender de las rectificaciones y hará su camino, igual que hemos hecho nosotros.

Para superar todos estos escollos, pongámonos en manos de otra persona que nos iniciará, nos guiará y nos ayudará en nuestro discernimiento.

Solemos realizar una postura antes de enseñarla porque siempre es un regalo, una energía que trasmitimos al otro con la condición de no ser tomados como modelo.

En el libro, veréis que utilizamos muchos soportes (sillas, rodillos, pelotas, calces, cinchas, etc.). No se trata de muletas para apoyarnos encima, sino de apoyos que a veces pueden ser puntuales para determinadas posturas.

Los músculos profundos, los propios de la estática, requieren mucho tiempo. Hay apoyos que son indispensables para mantener la postura. A veces, hay que invertir mucho tiempo en un trabajo para contactar con las articulaciones y redefinir la movilidad.

Cada zona del cuerpo merece una atención especial y encontraremos la unidad en la autonomía de cada parte. Para sentirnos compactos, antes tenemos que sentirnos nosotros mismos con nuestras particularidades.

El yoga no es estático. El yoga es movimiento, pero no nos equivoquemos; no se trata de un movimiento exterior, sino de un movimiento interior que cambia nuestro exterior.

He elegido posturas bastante sencillas para no desanimar a los neófitos, pero también hablo de algunas posturas que requieren una preparación más larga.

Y es precisamente en esas posturas donde se descubren más cosas, sobre todo cuando somos debutantes, porque accedemos a un largo camino que empieza a enseñarnos lo que puede llegar a ser el yoga.

No hablo de posturas fáciles o difíciles porque eso depende de cada uno. Para alguien flexible, las posturas arqueadas y flexionadas hacia delante serán muy fáciles, y será mejor que se centre en las que requieren mucha firmeza, como las verticales, sobre las manos o sobre la cabeza.

En cuanto a los «deportistas» del yoga, dirijámoslos hacia las posturas que exigen más flexibilidad y duraciones largas. Como el trabajo encima del semicírculo, que permite una buena preparación para las posturas arqueadas.

En cualquier caso, hay que estar bien aconsejado para no elegir lo fácil. Y el trabajo personal también debe ser riguroso, para evitar la tentación de virar hacia lo que nos resulta más fácil. Y aquí recupero la noción de la disciplina inherente a cualquier vía.

En cuanto a las respiraciones, no sólo se trata de intentar alargarlas, sino de respirar en el lugar correcto.

Profundizo en este asunto porque, con frecuencia, tendremos que respirar desde el fondo de la pelvis hasta el cráneo. ¡Cuántos caminos hay que descubrir para que todo el cuerpo respire!

Permanecer mucho tiempo en una postura puede permitir este tipo de respiración y sientes que la postura está viva en todas tus células. A veces, la dificultad radica en salir de la postura para resistir las ganas de instalarnos y acomodarnos.

Y, ¿qué queda de la postura? El rastro, el camino recorrido. Es el momento de aceptar la experiencia antes de empezar una nueva postura.

En los cursos de yoga, Serge y yo distinguimos claramente entre una sesión de trabajo y la práctica del yoga. Al principio, damos más importancia al trabajo técnico y al aprendizaje de las posturas que a la práctica, que llegará cuando cada uno decida. A menudo lo comparamos con el aprendizaje de la música o de la danza. Primero tenemos que aprender los fragmentos, estudiar la partitura, los movimientos de danza, y luego podremos tocar la melodía, ejecutar la coreografía, e incluso improvisar.

Y eso no quita que pueda ser placentero. ¿De verdad que no hay ningún placer en buscar, en contactar con la consciencia del cuerpo o en sentir cómo el cuerpo vibra con el menor movimiento?

Aunque a veces decidimos practicar con nuestros alumnos durante los cursos para que cada uno pueda evaluar, en su propio cuerpo, lo que ha aprendido. Y ahí nadie corrige a nadie y todo el mundo es libre y ejecuta su propio movimiento.

El yoga está presente en todo acto y todo movimiento. Está presente cuando intento despertar una articulación y está presente cuando coloco las manos en el suelo para extender los brazos. No hay postura más noble que todo este trabajo. Si nos encontramos en este estado de espíritu, todo es yoga y la pregunta de cómo saber si está bien hecho desaparece. Y por eso hablo tanto de todo lo que he aprendido de otras disciplinas, como la osteopatía, la danza, el canto, la medicina china, la organización espacial de la boca, etc. Pero, cuando hablo de estas disciplinas, siempre lo hago en relación a quién las enseña, porque todo depende del estado de espíritu de quien las recibe.

Practicamos siempre de la misma forma en todo lo relativo a la respiración. También hay un aprendizaje y, normalmente, se realiza en los cursos especializados. Y después ya podemos respirar plenamente durante las posturas y vivir verdaderamente el pranayama.

La práctica del yoga se convierte en una coreografía que mezcla el movimiento del cuerpo con la consciencia de la respiración. Es un Arte completo, de gran nivel, pero que no tiene nada que ver con una práctica deportiva que exige una gran eficiencia.

En el yoga no hay niveles, pero eso no quiere decir que a veces no tengamos ganas de ir un poco más lejos y de realizar posturas cada vez más acrobáticas. Normalmente, «competimos» con nosotros mismos y es necesario realizar un gran trabajo interior para borrar todas esas imágenes que sólo sirven para alimentar el ego. El ego siempre estará ahí y, al principio, hay que ser muy fuertes, para poder abandonarlo después.

Incluso hablando de respiración, no siempre podemos evitar querer alargarla, aunque se trata de que cada vez sea más fluida, más pura en su esencia.

Elegir poner fin a una sesión supone una responsabilidad todavía más grande para el profesor, porque tiene que resistir la tentación de dar una «golosina», una recompensa al final de la clase, para que el alumno se vaya contento, descansado e impaciente por darle las gracias. Querer satisfacer todas las demandas del otro, querer que te aprecien, te adulen y te den las gracias es una trampa para cualquier profesor.

A veces, nuestros alumnos se quejan de que no les dejamos tiempo para tenderse, que no pueden reposar al final de las clases pero, ¿acaso las posturas de yoga son tan agotadoras que requieren tanto descanso?

Para los principiantes, que suelen emplear mucha fuerza y mucha atención, sí. Pero, si ya llevamos años practicando yoga y seguimos aplicando la misma fuerza y la misma voluntad, ¿realmente hemos entendido el yoga?

Después de una práctica de yoga, básicamente me siento descansada, dinamizada, y no necesito un descanso adicional, y la postura tendida (savasana) se convierte en una necesidad interior de tomarme un tiempo para asimilar lo que acabo de experimentar y de no salir corriendo hacia la rutina cotidiana. También me ofrece un momento privilegiado para estar en contacto con mi respiración.

Por eso es vital descansar mientras estamos despiertos.

DESARROLLO DE UNA SESIÓN CENTRADA EN EL PERINEO

Hay muchas mujeres que acuden a mí porque tienen problemas de incontinencia. Han realizado trabajos de reeducación del perineo con kinesiterapeutas y comadronas y, casi siempre, «la cosa no se aguanta», como dicen ellas. Todo vuelve a derrumbarse y las mujeres pierden confianza en ellas mismas. Todo se les escapa, ya no pueden controlar nada y algunas incluso conviven de forma permanente con las compresas. Sin mencionar todos los problemas con los que se topan en el plano sexual. Pocas veces vienen a hablar de eso, porque todavía es más tabú pero, desde el mismo instante en que lo menciono, les encanta poder verbalizar, por fin, lo que parecía imposible.

Para empezar el capítulo, voy a relatar una experiencia que me ha pasado hace poco y que iluminará mi camino.

He acogido, durante un año, a dos mujeres con problemas de incontinencia. Una me la envió un profesor de yoga. Venía desde muy lejos con su amiga y no tenía ganas de desplazarse con frecuencia.

Después de cinco sesiones, el trabajo empezó a dar sus frutos y las dos mujeres decidieron montar un taller para otras mujeres de su entorno con el mismo problema.

En el primer taller eran diez y, junto con los dos profesores de Rennes que participan en este libro, organizaron más talleres en Rennes.

Más adelante, me las encontré en una sesión de tres horas. Como objetivo, no me propuse que hubieran solucionado su problema, sino que entendieran el porqué de sus dificultades y que salieran de la sesión con el deseo de cuidarse y con varias herramientas sencillas para avanzar.

Había colgado en la pared las magníficas láminas de Blandine Calais Germain que me parecieron más pertinentes y las mujeres las observaron incluso antes de pisar el tapiz.

Marqué la tónica desde el principio y les pedí que se presentaran.

En el momento de las presentaciones ya descubrí que la mayor parte de ellas había tenido varios hijos y que los problemas aparecieron después del parto o durante la menopausia. Dos se habían sometido a una intervención quirúrgica que no había salido demasiado bien. Y varias decían que no tenían ningún problema y que habían venido por curiosidad.

Les pedí que, de una en una, se colocaran frente a mí y observé su postura.

La mayoría se colocó con pies de pato (talones juntos y puntas hacia fuera), con todo el peso del cuerpo apoyado en la punta de los pies. Ninguna se apoyaba en los talones y echaban la barriga hacia delante, con los glúteos apretados y los hombros caídos.

Habían perdido la verticalidad. ¿Qué incidencias tiene esto en el perineo? Empecemos hablando de la verticalidad, un tema recurrente en mi trabajo.

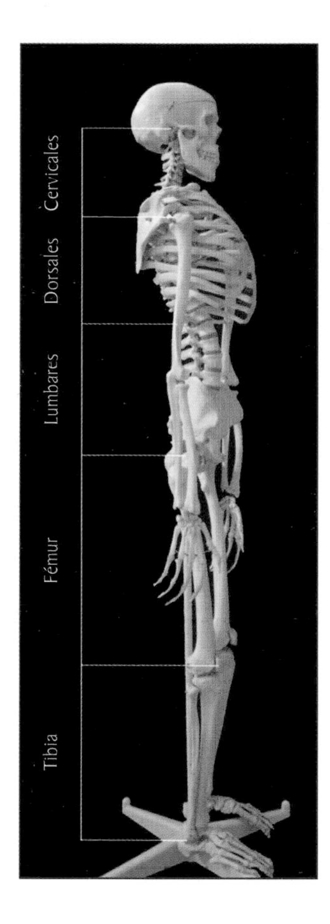

La verticalidad

La verticalidad es un sistema de pesos y contrapesos.

De pie, el ser humano, que es consciente de su verticalidad y de sus articulaciones, no necesita utilizar los músculos.

Los bloques óseos se mantienen apilados mediante curvaturas opuestas.

Dichas curvaturas son las siguientes:

- la tibia: convexa;
- el fémur: cóncavo;
- las lumbares: convexas;
- las dorsales: cóncavas;
- las cervicales: convexas.

La armonía se crea alrededor de las sinusoides (serie de curvas invertidas centradas en los puntos de unión), que ejercen un papel de muelle.

El peso del cuerpo recae mayoritariamente sobre el talón.*

Tomémonos un tiempo para observar el esqueleto.

Si miramos la verticalidad de perfil, el tobillo, la rodilla, la cadera, el hombro y la oreja están alineados.

También observamos las curvaturas opuestas del cuerpo, motivo por el cual es tan sólido.

La pelvis está echada hacia atrás y se apoya encima de las piernas. La columna lumbar llega hasta la mitad del abdomen. Es como si los volúmenes de la pelvis, la caja torácica y el cráneo estuvieran flotando uno encima del otro.

Todo sigue un equilibrio al borde del desequilibrio.

No hay ningún peso en la gravedad. Por lo tanto, el perineo puede ser ligero, sin nada que lo encierre y sin tensiones. Y eso es lo que nos interesará.

---

* Dominique Martin: *Comment entretenir et protéger son patrimoine physique*. Éditions Sol'air, 1999.

A partir de todas estas observaciones, adquiriremos nuevas aptitudes para aliviar el cuerpo entero y, sobre todo, el suelo pélvico, que es nuestro principal objetivo.

Masaje de pies

Cualquier postura de pie debería empezar por el masaje de pies con la pelota. Esta preparación es más que un masaje. También es una movilización de todas las articulaciones del pie.

Podemos recurrir a un bastón para no perturbar el equilibrio. La pierna de apoyo trabaja y se estira.

Este masaje busca localizar un punto de acupuntura que llamamos el brote (primer punto del meridiano del riñón), porque resulta muy energético para todo el cuerpo.

Observemos ahora todo lo relativo a la verticalidad.

Movilicemos las caderas: flexiones, extensiones, rotaciones externas e internas, abducciones.

En los movimientos de la pelvis sobre la cadera, dejemos que se eche hacia atrás y se deje llevar por las piernas.

Aceptemos la curvatura lumbar baja (la trataremos más adelante).

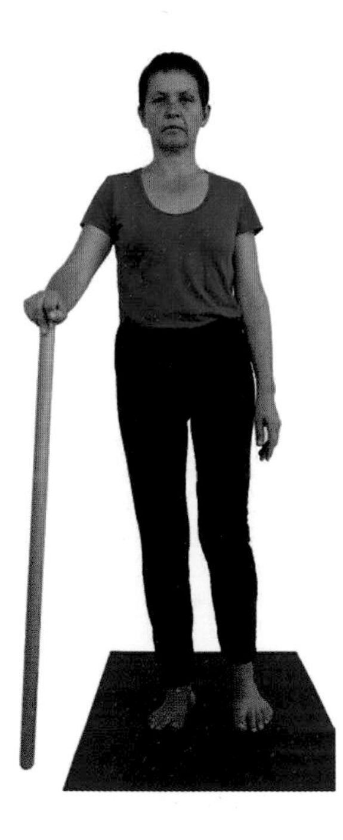

Los pies, las piernas, las caderas

La verticalidad depende de cómo colocamos los pies. Si los pies están abiertos (fig. 1), apretaremos el perineo y los glúteos, echaremos hacia delante la pelvis, hundiremos la caja torácica y la masa visceral descansará encima del bajo vientre y dañará el perineo (fig. 2).

POSICIONES INCORRECTAS

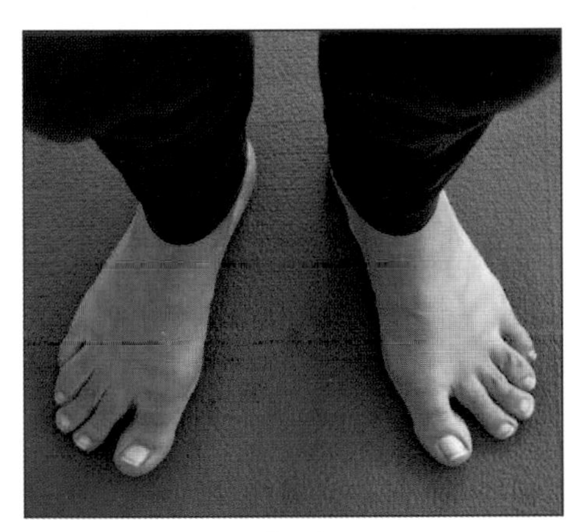

Fig. 1

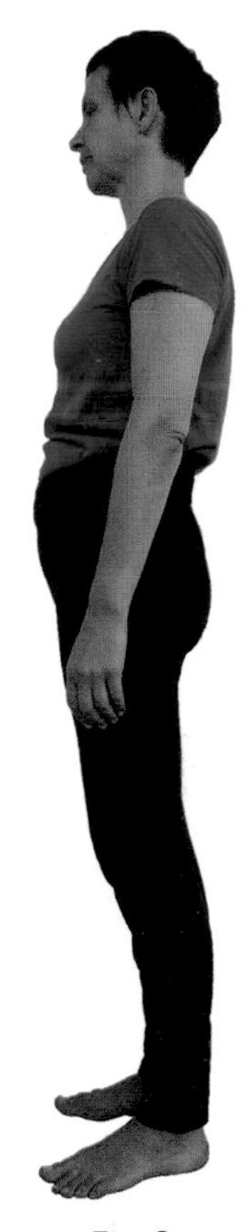

Fig. 2

Posiciones correctas

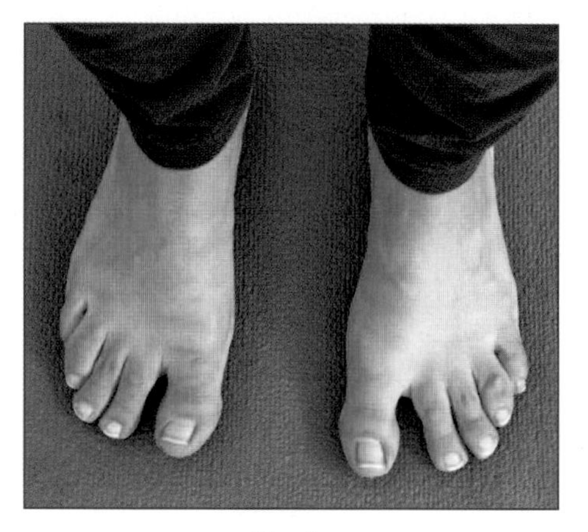

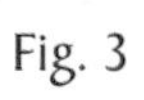

Fig. 3

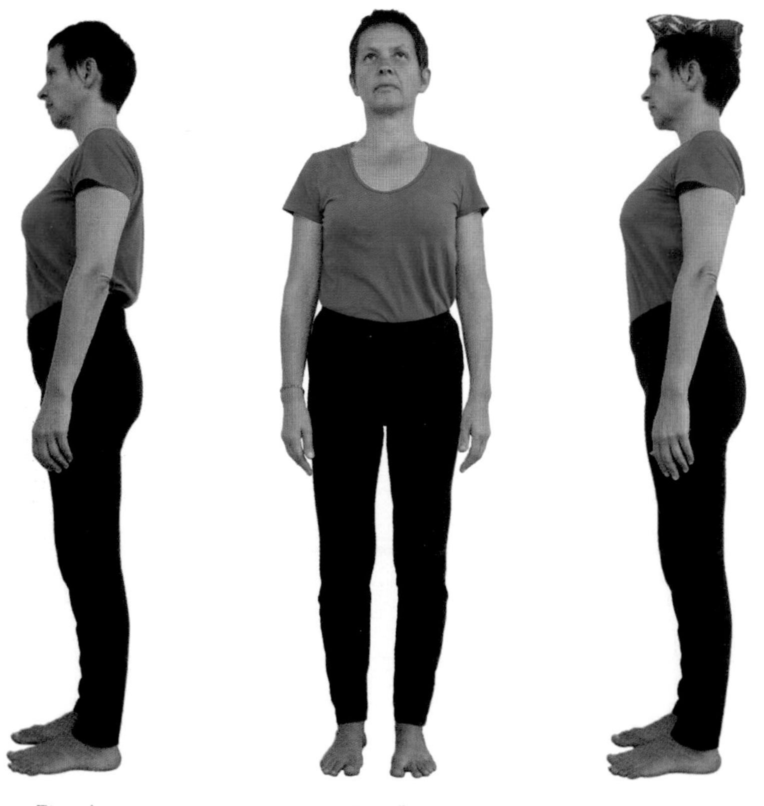

Fig. 4 Fig. 5 Fig. 6

Postura correcta (fig. 3): con los pies paralelos, rota los muslos hacia dentro para que el peso de la pelvis descanse sobre los talones. El bajo vientre se estira al mismo tiempo que se forma la curvatura lumbar baja. Intenta crecer desde los talones hasta la cabeza.

De perfil, vemos que el tobillo, la rodilla, la cadera, el hombro y la oreja están alineados (fig. 4). Si colocamos un peso encima de la cabeza, sin el cuerpo bien alineado, el peso llevará la voz cantante. En contra, con una verticalidad correcta, el cuello retrocede sin tensión en la garganta y el esternón (manubrium) se levanta, cosa que evitará que la caja torácica presione las vísceras hacia abajo. El vientre se estira y alivia la tensión de la pelvis menor (figs. 5 y 6).

Alineación tobillo, rodilla, cadera

Para respetar la verticalidad cuando estiramos las piernas, hay que evitar colocar las rodillas en hiperextensión (figs. 1, 1 bis y 1 ter) y flexionar demasiado las rodillas (figs. 2 y 2 bis).

Cuando la rodilla está en su sitio, se puede estirar y la rótula se levanta (figs. 3 y 3 bis).

Posiciones incorrectas

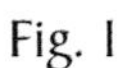

Fig. 1

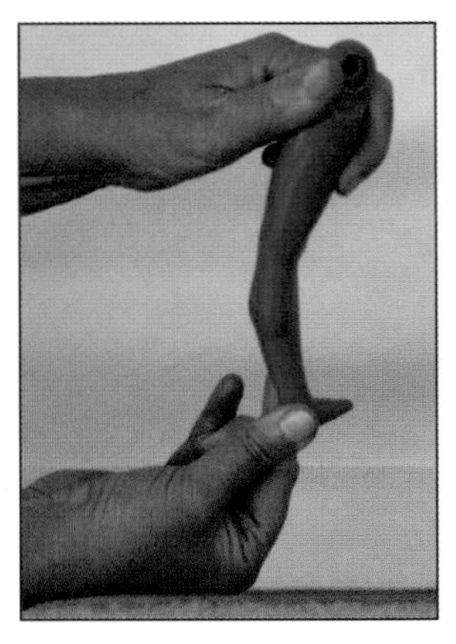

Fig. 1 bis

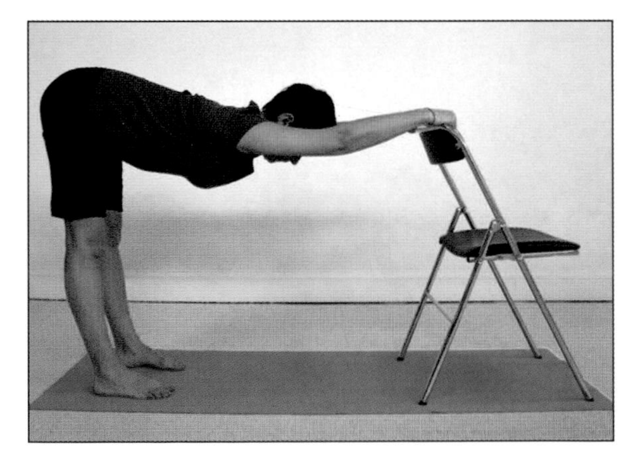

Fig. 1 ter

Posiciones incorrectas

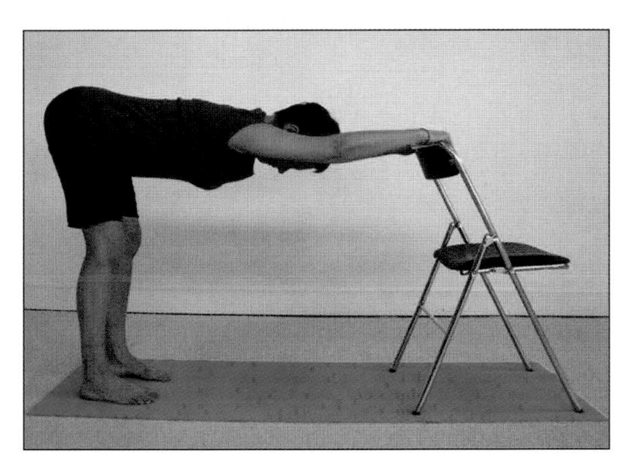

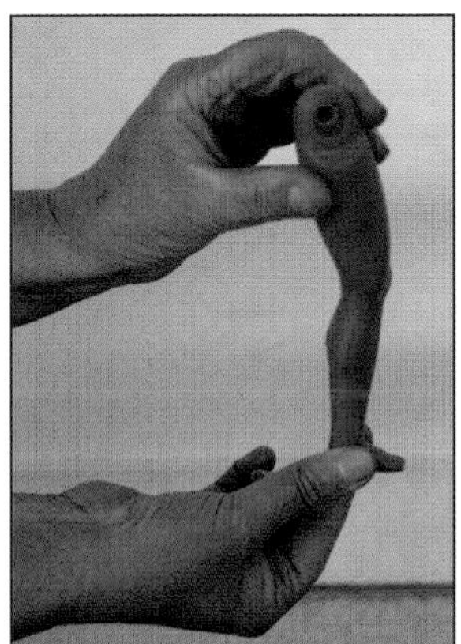

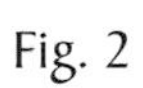

Fig. 2

Fig. 2 bis

Posiciones correctas

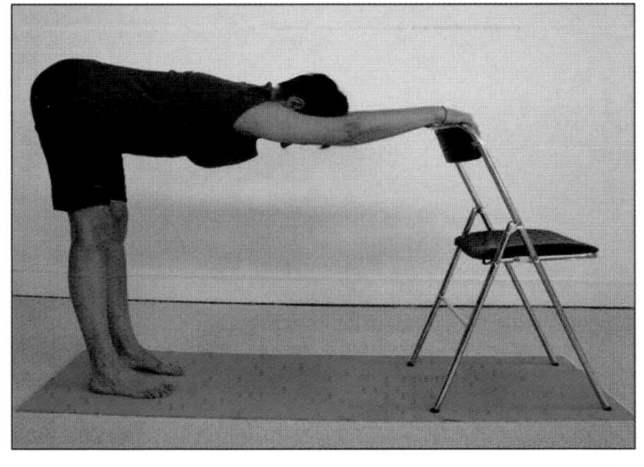

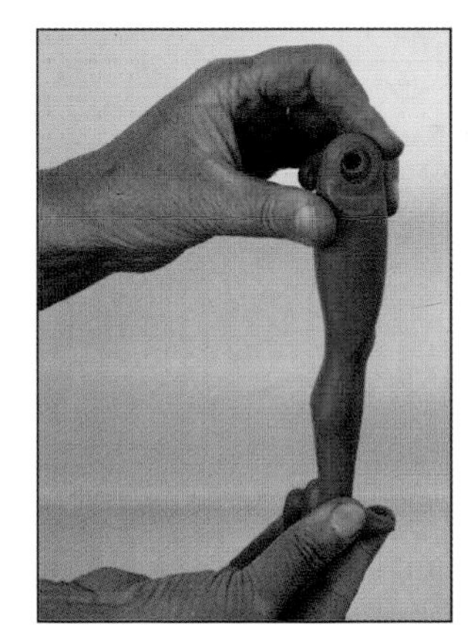

Fig. 3

Fig. 3 bis

Flexión de caderas

Casi siempre, visualizamos las caderas demasiado altas respecto a las crestas ilíacas (fig. 1). Cuando nos inclinamos, en lugar de doblar las caderas, doblamos las lumbares sin estirar las piernas y, casi siempre, bloqueando las rodillas (fig. 2).

Si partimos de la verticalidad, primero doblaremos ligeramente las rodillas, después doblaremos las caderas, los isquiotibiales se estirarán, el suelo pélvico se ampliará y la columna permanecerá en la posición más neutra posible (siempre respetando las curvaturas). Para aumentar la neutralidad, podemos apoyar las manos en el respaldo de una silla y seguir estirando la parte alta de la cadena posterior y los brazos (fig. 3).

Posiciones incorrectas

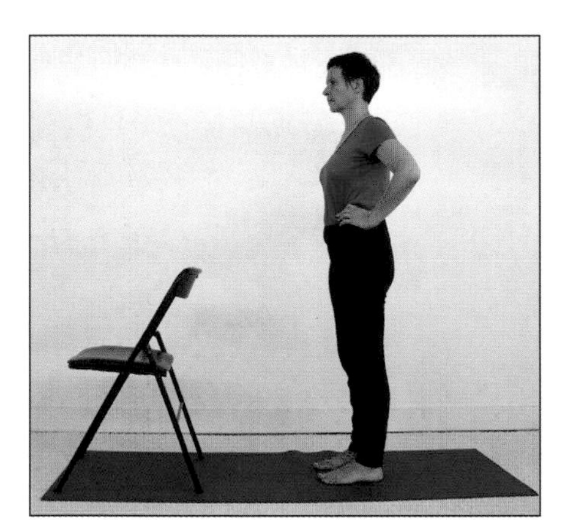

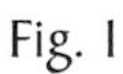

Fig. 1

Fig. 2

Posición correcta

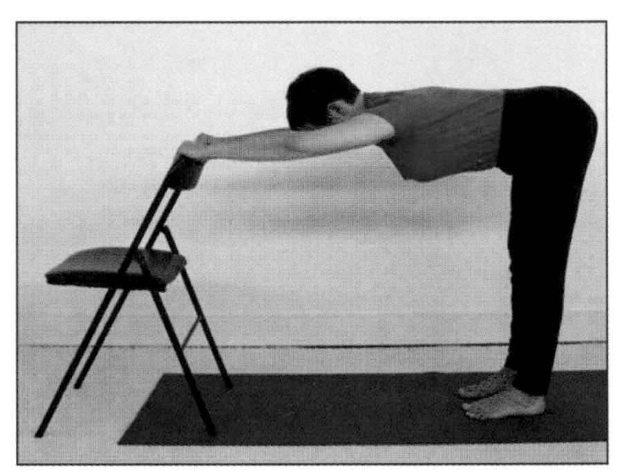

Fig. 3

Cuidado, no hay que permitir que las rodillas retrocedan demasiado y se tensen, porque la espalda volverá a acortarse y reducirá el espacio en el pubis y el ombligo.

Continuemos con nuestra investigación.

Toma de conciencia del abdomen

Descubramos cómo se colocan nuestras vísceras. Están repartidas en tres niveles: el hígado y el estómago debajo de las costillas, las vísceras de la pelvis menor (vejiga, útero y recto) y las demás vísceras, en medio.

Tengamos en cuenta que nuestra manera de estar de pie pesará o no sobre las vísceras y ahí debo recordar la importancia de la curvatura baja, que aliviará el bajo vientre, siempre que la pelvis esté alineada con las piernas.

La caja torácica

¿Tengo la caja abierta y flotando encima del abdomen? La mayor parte del tiempo, se hunde con los hombros cerrados y pesa en el abdomen.

El porte de la cabeza

La verticalidad llega hasta lo más alto del cuerpo. Retirar el cuello hacia atrás sin tensionar la garganta para mantener la parte alta del esternón (manubrium) elevada es lo que evitará que la caja presione las vísceras hacia abajo. El vientre se estira y alivia la pelvis menor.

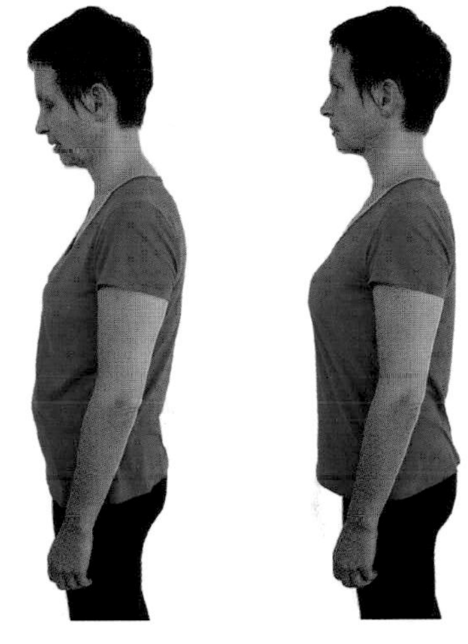

INCORRECTO CORRECTO

Los tres diafragmas

Observemos en una ilustración anatómica cómo los tres diafragmas (pélvico, torácico y craneal) están unidos.

Si el peso de los hombros y una cifosis dorsal excesiva comprimen el diafragma torácico, todo lo que lo rodea se tensa. Y esta reflexión es válida para cualquier otra parte del cuerpo.

Pero centrémonos en lo que nos interesa: el diafragma pélvico.

Es un apoyo, un sostén, tanto para la inspiración como para la espiración. En la inspiración, deja que el movimiento del diafragma torácico lo roce, y debería reaccionar de forma refleja para evitar que las vísceras lo aplasten y elevarse desde el interior para iniciar la espiración. Es el fundamento de la respiración.

Cuando estamos en fase de reeducar, podemos observar cómo esta zona se eleva durante toda la espiración.

La columna vertebral

La columna sostiene el peso de todo el cuerpo. Tenemos que dejar de pensar que la columna es recta. Como he mencionado en el apartado sobre la verticalidad, está formada por curvas que se equilibran, y precisamente ahí radica su fuerza.

De entrada, abordaremos ideas preconcebidas sobre el hecho de ir demasiado curvado, los temores suscitados por la extensión de la columna, que se percibe como algo frágil, los miedos a despertar antiguos dolores, etc. Siempre tengo que tomarme un tiempo para hablar de esto de forma extensa. Más adelante abordaremos las curvas de la columna.

El perineo

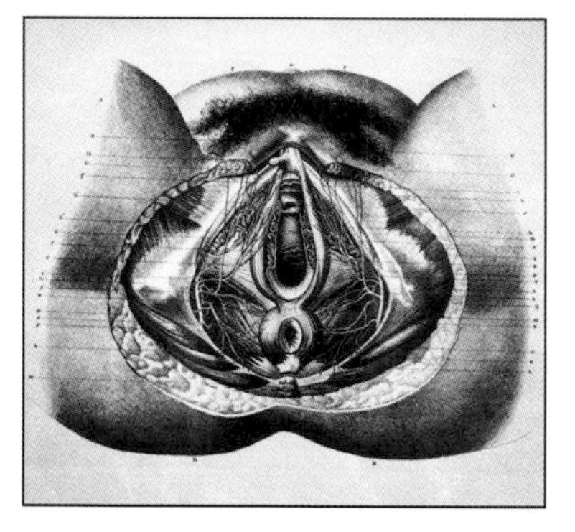

Anatomía del perineo

Haremos continuas referencias a las ilustraciones de Blandine Calais Germaine pero, en este caso, he elegido observar con más detenimiento el dibujo de Cécile Nivet:

Vemos que el fondo de la pelvis es un espacio considerable que afecta a tres capas musculares.

Si queremos que un músculo se contraiga, primero debemos devolverle toda su dimensión. Vamos a empezar contactando y abriendo este espacio, para devolverle la vida.

Toma de consciencia de uno mismo

Veamos todos los músculos implicados en una postura de abertura de la pelvis.

Como las piernas están en posición vertical, es difícil mantener la posición neutra de la espalda y la combadura lumbar baja, con el apoyo principal en el sacro.

Colocaremos un pequeño rollo debajo del plexo lumbosacral antes de empezar el trabajo de estiramiento.

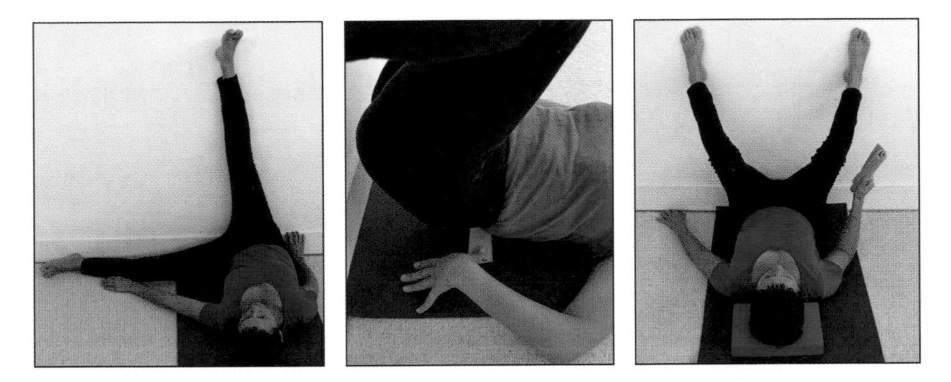

Situaremos los pies paralelos en la pared, ensancharemos la pelvis y respiraremos hacia el fondo de la pelvis.

El trabajo puede empezar.

Visualización

- Empecemos contactando con el ano mediante la respiración de un olor sutil. Yo siempre propongo colocar debajo de la nariz una miga de pan impregnada con algo que huela a menta.
- Sintamos cómo los esfínteres se detienen con la inspiración y empiezan a movilizarse al final de la inspiración a lo largo del recto para acompañar la espiración.
- A continuación, respiremos en la zona entre el ano y el sexo, denominada núcleo fibroso central del perineo, y notemos cómo esta zona se eleva ligeramente para iniciar la espiración.
- Después, visualicemos la zona de la vagina, y ahí también percibimos una pequeña elevación.
- Terminemos sintiendo, a la altura de la uretra, la zona que nos permite aguantar la orina.

Lo ideal es que el suelo pélvico mantenga una relación constante con el abdomen, el diafragma, la caja torácica y la nariz. Sin embargo, esto casi nunca es así y, por lo tanto, tenemos que movilizar todas estas zonas de forma más dinámica.

El trabajo puede resultar muy complejo, de modo que he elegido un ejercicio reducido que nos hará trabajar el conjunto de la zona de forma bastante directa. Más adelante retomaré este trabajo más en profundidad.

Trabajo del perineo

- Visualicemos los esfínteres del ano y encojámoslos hacia el interior del recto como si los estuviéramos aspirando. Después, relajémoslos.
- Visualicemos el espacio del perineo entre el ano y la vagina, y encojámoslo hacia el interior de la pelvis menor. Después, relajémoslo.
- Visualicemos el interior de la vagina y encojámosla hacia el útero. Después, relajémosla.
- Visualicemos el interior del útero y encojamos los músculos hacia el interior. (Nos referimos al gesto para aguantar la orina y que hay que evitar hacer durante la micción para no crear un reflejo que nos impediría orinar).

Es importante, en primera instancia, realizar todo este trabajo independientemente de la respiración para aprender a disociar los músculos del suelo pélvico y los abdominales.

Después ya los combinaremos con la respiración. Se trata de, al final de la inspiración, hacer ventosa con los músculos del suelo pélvico antes de iniciar la espiración y relajarlos antes de inspirar. Si todo está bien, esto se hace de forma natural, aunque es poco frecuente, y de ahí la importancia de este trabajo previo.

Esta postura permite que la masa visceral, bajo la influencia de la gravedad, ascienda hasta la zona de los riñones, debajo del diafragma.

A diferencia de la postura de la vela, ésta la pueden ejecutar los principiantes.

Tendidos sobre la espalda, sujetar las patas de la silla y colocar los talones en la parte frontal del asiento (fig. 1).

Fig. 1

Fig. 2

Al espirar, levantar la cabeza, elevar el suelo pélvico y avanzar las rodillas. El coxis se despegará y tirará de la pelvis que, a su vez, tirará de cada vértebra (fig. 2). Apoyaremos la cabeza y podremos descomprimir el perineo sin perder el apoyo de los pies para continuar activando las piernas y abriendo los pliegues de las ingles al estirar los cuádriceps (fig. 3).

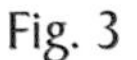
Fig. 3

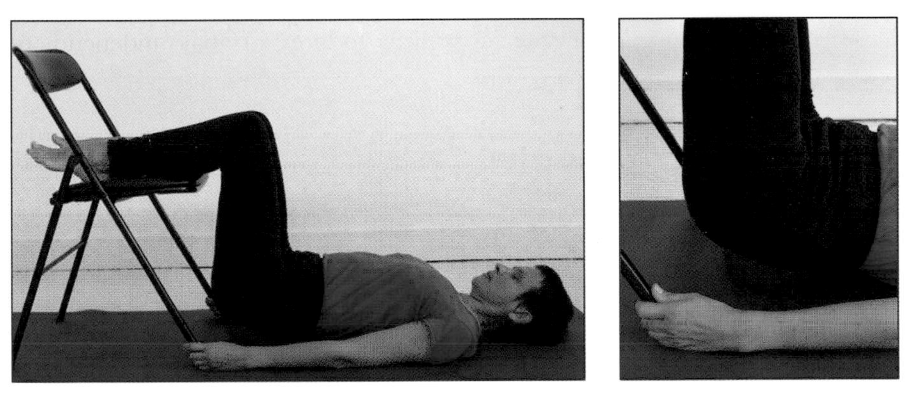

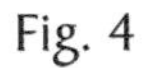
Fig. 4

Fig. 4 bis

Al regresar, podemos colocar una pelota pequeña debajo del sacro para descomprimir la pelvis menor (figs. 4 y 4 bis).

Continuemos con la sesión de yoga.

El perineo en la vida cotidiana

¿Cómo me comporto cuando voy al baño, cuando orino, cuando río, cuando toso o cuando estornudo? ¿Cómo vivo mi sexualidad? ¿Cómo he vivido mis embarazos y mis partos?

Durante la sesión, se abordan todas estas cuestiones de una forma u otra aunque, a diferencia de las clases individuales, las clases colectivas no permiten que las mujeres puedan expresar su opinión. Sin embargo, esta sesión tenía como objetivo abrir las puertas a todas estas cuestiones sin pretender profundizar demasiado.

Veamos algunos momentos de nuestra vida cotidiana.

Sentarse en una silla

Es mejor sentarse al borde de la silla, siempre que tomemos la precaución de separar los isquiones para alargar los músculos del suelo pélvico y sentir los apoyos largos (fig. 1).

La espalda se estira de forma automática.

Las rodillas deben estar a la misma altura o por encima de las caderas. Si es necesario, se pueden utilizar calzas para levantar los pies, que deben estar paralelos.

Un peso en la cabeza permite estirar mejor la espalda, siempre que respetemos la verticalidad (fig. 2).

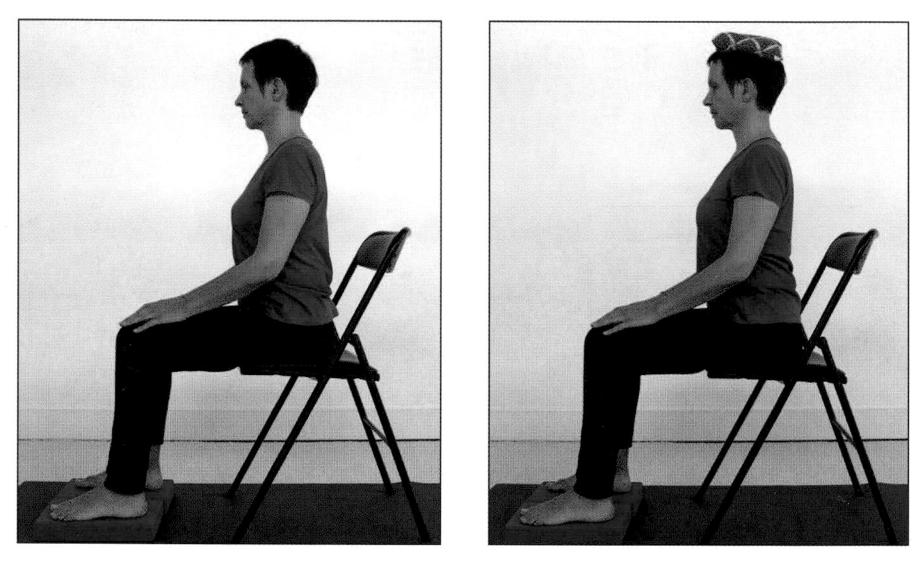

Fig. 1 Fig. 2

No os debéis sentar nunca sobre las nalgas, siempre sobre los isquiones (figs. 3, 4 y 5).

Posiciones incorrectas

Fig. 3

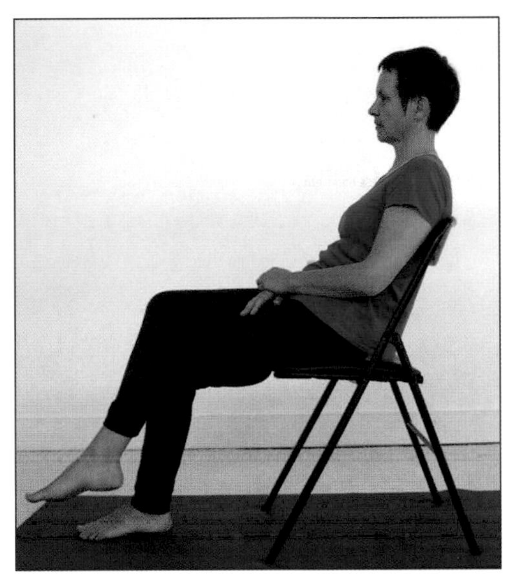

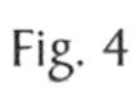

Fig. 4

Fig. 5

Ir al baño

Lo ideal sería que todo el mundo tuviera placas turcas, siempre que supiera agacharse doblando las caderas y manteniendo la postura neutra de espalda, algo que ya nadie sabe hacer.

Siéntate en la taza del inodoro separando los isquiones para abrir bien la zona del ano.

Coloca los pies paralelos y levántalos con la ayuda de una banqueta, intentando imitar la posición de cuclillas, con las rodillas por encima de las caderas.

No debes empujar, sino descomprimir el ano respirando muy despacio para que el propio músculo expulse sin tensar el perineo.

Reír, toser, estornudar

- En primer lugar, adquirir una buena postura, sentados sobre los isquiones y la espalda bien estirada para evitar apoyar peso sobre el bajo vientre.
- Antes de toser o estornudar, descomprimir rápidamente el bajo vientre y movilizar en seguida el suelo pélvico que, si está acostumbrado, se colocará en posición en seguida.
- Sobre todo, no apretar las nalgas porque es totalmente ineficaz y porque sólo endurecerá la zona.
- Para los que conocen el kapalhabati (véase capítulo sobre la respiración) es, como con los sonidos picados, una buena forma de entrenarse en la relajación rápida del perineo antes de la contracción.

Ayudas inmediatas: pequeños recursos para grandes problemas

Los baños derivativos

Consisten en refrescar la entrepierna con agua fría durante un determinado tiempo y en determinadas condiciones.

> La práctica del baño derivativo consiste en refrescar, con agua, la parte más baja de los pliegues del ano al nivel de la entrepierna, por ambos lados tanto en mujeres como en hombres. Para ello, tomamos un trozo de tela (una toalla pequeña o una esponja servirían), lo mojamos con agua fresca y lo deslizamos con «dulzura», en un gesto continuo entre el agua fresca y la zona a refrescar, que nace de cada lado del pubis y desciende hasta el ano.*

El resto del cuerpo tiene que estar bien tapado y caliente, y la acción de refrescar debe durar un mínimo de diez minutos para una persona adulta, y puede alargarse hasta una hora. En seguida observamos que se producen, a la vez, una fricción y un enfriamiento.

A los que conocen la trayectoria de los grandes meridianos en acupuntura no les sorprende la eficacia de un frotamiento en esta región del cuerpo.

Mis dos alumnas lo realizan todos los días y pueden dar fe de los beneficios reales. Dicen que ya no tienen ningún problema, y eso que una de ellas se había operado sin éxito. Añaden, además, que cuando lo realizan por la noche, no tienen problemas de insomnio. Una de ellas incluso nos ha comentado que la sequedad vaginal la había obligado a olvidarse del jabón líquido, y que ahora su marido estaba muy contento con todo lo que estaba haciendo. Nos reímos con ganas… encogiendo el perineo, claro.

Yo ya hace varios años que realizo estos baños y debo añadir que mojar esta zona también es la forma para eliminar traumas y deshonras que hayamos podido sufrir a lo largo de nuestra historia: miedos, violencia, etc. Para mí, es como un baño de purificación.

---

* France Guillain: *Les Bains dérivatifs*. Éditions Jouvence, 1995. (Trad. cast.: *Los baños derivativos*. Sirio, Málaga 2008).

Los conos y las bolas chinas

Son objetos que, en ocasiones, utilizan las comadronas después de un parto, aunque también podemos recurrir a ellos por iniciativa propia. Consiste en introducir un cono (que se presenta como un tampón higiénico) en la vagina; la musculatura se contrae sin esfuerzo.

También podemos utilizar las bolas chinas. Es preferible utilizarlas mientras estamos tendidas para evitar que presionen el perineo. Yo las utilizo con el objetivo de sensibilizar la zona, no para reforzarla, pero siempre a condición de hacerlo acompañando el movimiento con la respiración y con consciencia.

Para concluir

El taller se acaba. Habría podido estar hablando sobre este asunto durante una semana, pero creo que he ofrecido una visión rápida de esta cuestión para permitir que las mujeres presentes se sientan responsables de su vivencia, y tengan un papel activo en los cambios que tendrán que introducir en sus vidas.

¿Acaso lo importante de esta tarde no era empezar a entender el porqué de todos nuestros problemas y cómo solucionarlos?

Fue una sesión muy emotiva. Para algunas, era su primer contacto con el yoga.

Recordemos que el yoga es un estado de espíritu, no existen las posturas por un lado y, por el otro, lo que no es yoga. Si nos escuchamos de forma profunda, todo se convierte en yoga; si hay consciencia, hay respiración.

Creo que puedo decir que, a lo largo de este taller, pudimos trasmitir todo esto y todos se marcharon con una nueva consciencia, la cabeza alta y con un mayor respeto por ellos mismos.

Para concluir el capítulo, os dejo los testimonios de dos mujeres a las que acompañé durante un período de tiempo más largo y que estaban presentes durante la creación del taller:

> Después de una operación sin éxito a raíz de mi incontinencia, el profesor de yoga de mi pueblo me aconsejó que fuera a ver a Bernadette. Fui con una amiga. Después de varias sesiones de reeducación y de consejos muy valiosos para mejorar la consciencia del cuerpo y del perineo, estoy plenamente satisfecha.

Las compresas están guardadas en el armario y ya no tengo sequedad vaginal, con lo que mis relaciones sexuales son más placenteras.

Aconsejo a todas mis amigas que hagan lo mismo que yo.

***

Sufría incontinencia urinaria cuando realizaba algún esfuerzo, o incluso estando de pie o sentada, aunque sólo me ocurría de día, lo hacía siempre. Iba a dar un paseo y me orinaba encima, pero sólo me daba cuenta cuando veía la compresa empapada.

El doctor me había mandado sesiones con el kinesiterapeuta en tres ocasiones, pero no me aportaron nada.

Con Bernadette, vi los resultados a partir de la primera sesión. Bernadette me dijo: «Tienes que reconsiderar tu forma de ser, cambiar la forma de estar de pie, abrir el suelo pélvico, etc.». Y es que yo hacía todo lo contrario: apretaba las nalgas y metía la tripa hacia dentro constantemente. ¡Cuántas presiones!

Me mostró, mediante un esqueleto humano y grandes fotos de la pelvis con los órganos dentro, lo que tenía que hacer y lo que no tenía que hacer, y qué razón tenía. Bernadette lo explica mediante comparaciones: una catedral se mantiene muchos años en pie porque tiene cimientos y buenos pilares. Nuestros cimientos son los pies y las piernas.

Hay que tomarse un tiempo para hacer las cosas y saber decir que no, nos decía, porque así evitamos dispersarnos.

Desde entonces, no me paso el día buscando un baño y sólo voy a orinar cuando toca, como antes.

¡Qué alivio! ¡Y qué alegría!

Al leer estos testimonios, cualquiera podría pensar que obro milagros. Yo únicamente invito a todo el mundo a realizar una toma de consciencia de su rutina cotidiana y cada uno obrará su propio milagro. Sin constancia, todo puede volver a estropearse.

Después de esta primera aproximación general, vamos a interesarnos más en profundidad por el trabajo del perineo, contextualizándolo para que participe todo el cuerpo.

El suelo pélvico en su conjunto

Voy a olvidarme de todo lo que sé y voy a dejarme llevar cuando estoy frente a un grupo de alumnos de quien no sé nada, como sucede casi siempre.

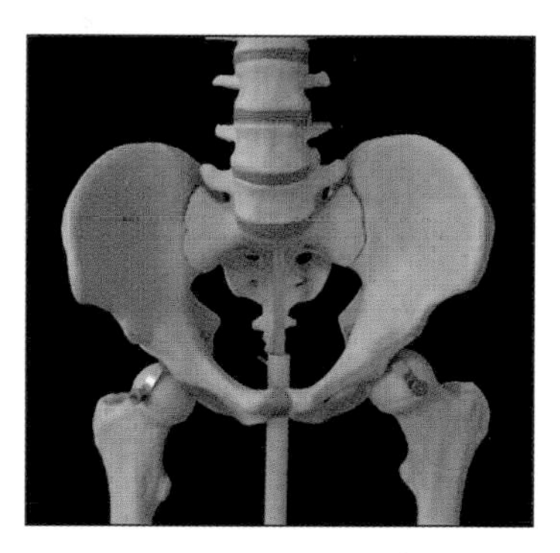

Para empezar, observemos la forma de la pelvis.

Vemos que los huesos están en los laterales y en la parte posterior y que, por delante, no hay nada, sólo la sínfisis púbica.

Delante, tenemos el abdomen, las vísceras en contacto entre ellas y, como vemos, no hay nada entre la caja torácica y la sínfisis púbica.

Cuando alguien controla mal sus emociones decimos que es una persona visceral, ¿no es cierto? Controlar las emociones no quiere decir cerrar o protegerse, sino tener perspectiva y volver a colocar todo en su sitio.

Abramos la espalda, el lugar alto del inconsciente, y nuestra sensibilidad podrá expresarse con toda libertad.

La pelvis no está recta como solemos imaginar. Está inclinada. Si la llenásemos de líquido, se derramaría por delante. El sacro está más elevado que el pubis.

Por lo tanto, la columna vertebral se apoya en un sacro cuya base está inclinada.

No podemos profundizar en el trabajo del perineo sin mencionar la curvatura lumbar porque, como hemos dicho ya en varias ocasiones, de ella depende la movilidad del perineo.

Las curvas de la columna: la curvatura lumbar

Aquí empezamos a tratar un asunto tabú. «No me toques la curvatura» o, lo más frecuente, «No me toques la no curvatura». Puede parecer que es un asunto mucho más sensible para las mujeres que para los hombres, como si las nalgas tuvieran que desaparecer para parecer elegantes.

Para tratar este asunto, hablaré de mi experiencia.

Cuando empecé a practicar yoga según la escuela BKS Iyengar, no recuerdo haber oído hablar de este asunto, aunque no quiero ser categórica porque esos recuerdos son ya muy lejanos.

Sí recuerdo que hacían poco hincapié en la colocación de las lumbares en las posturas, pero que utilizábamos mucho material para paliar la rigidez del momento.

Después, trabajé con Jacques Thiébault, que insistía mucho en que pegásemos las lumbares al suelo a partir del mismo instante en que nos tendíamos y nos hacía eliminar la curvatura en la mayoría de las posturas, porque nos decía que se trasmitía a las caderas, que no teníamos que utilizar los abdominales y que podíamos encoger el espacio el pubis y el esternón.

Allí no utilizábamos ningún material, ni cojín ni calce, porque Jacques creía que lo teníamos todo en nuestro interior y que no necesitábamos ayuda exterior.

A mí siempre me dolía la parte baja de la espalda y a mi alrededor veía muchos abdominales y nalgas apretados. Sin embargo, confié en Jacques, que a otros les parecía demasiado creativo, y experimenté lo que proponía creyendo que acabaría ayudándome.

Durante mi formación con el osteópata Dominique Martin, seguidor y practicante también del yoga BKS Iyengar, todo volvió a desordenarse. Sólo había profesores de yoga y la mayoría se esforzaban por pegar las lumbares al suelo.

Con la misma actitud que Jacques hacia el perineo, Dominique nos hablaba de la curvatura en todas las posiciones. Nos decía que nunca había demasiada curvatura, sólo curvaturas mal colocadas, demasiado arriba.

Y eso es lo que ya decía Noëlle Pérez en sus libros acerca de la verticalidad. ¿No había escrito ya *Retrouvez votre vraie cambrure?*

Dominique nos inició en la anatomía y nos mostró, en el esqueleto y en los dibujos, la importancia de la curvatura lumbar para liberar las vísceras y, por consiguiente, la parte baja de la espalda.

Para ello, nos solía colocar un pequeño rollo, ancho como un ladrillo rectangular, en el plexo lumbosacral para alargar el espacio entre el pubis y el ombligo.

Los apoyos en la postura tendida: importancia de la espalda neutra

Para tendernos sobre la espalda, a menudo nos han dicho que teníamos que pegar las lumbares al suelo para estirar mejor la parte baja de la espalda. En realidad, así sólo reducimos el espacio entre el pubis y el ombligo, apretamos el bajo vientre y tensamos el perineo.

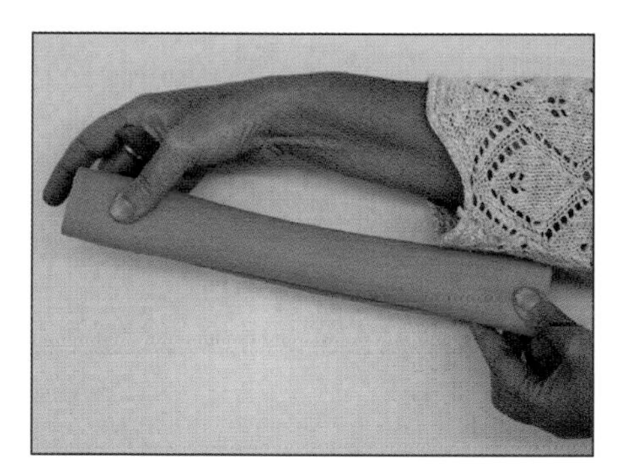

Salgamos al encuentro de las nuevas ideas y coloquemos un pequeño rollo bajo el plexo lumbosacral para alargar el espacio entre el pubis y el ombligo, y recuperar de este modo el apoyo de la pelvis que se encuentra en medio del sacro.

Durante un curso, muchos participantes decían que, en esta postura, las lumbares les dolían mucho y no entendían que se pudiera experimentar dolor durante una postura de yoga. A mí, el hecho de tener dolor no me suponía ningún problema si entendía los motivos de la postura. Mi curiosidad se había despertado y comprendía todas las implicaciones.

Únicamente un reducido grupo de privilegiados seguimos interesados por aquella nueva forma de ser.

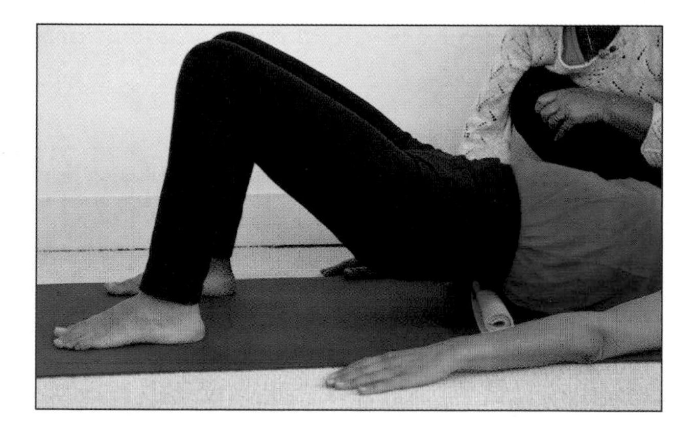

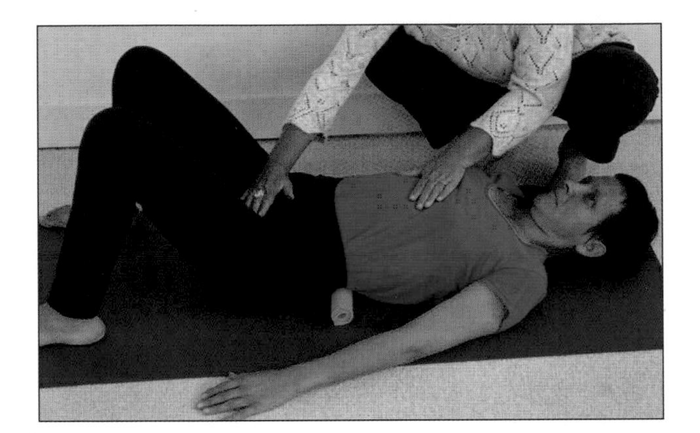

Recuperé todo el material que solía utilizar al principio de practicar yoga: el semicírculo, la pelota pequeña, las cinchas, los calces, etc. Todo lo que puede ayudarnos a avanzar a pesar de nuestras rigideces.

Sin embargo, mi dolor de espalda no había desaparecido, aunque ya no era el mismo. Me parecía recuperar una libertad y unos movimientos de pelvis que había perdido y, sobre todo, sentía una mejora considerable en la respiración, porque me reencontré con gran placer con las extensiones de la columna.

Jacques me había hecho recuperar los apoyos, pero como él consideraba que la columna era recta, nos hablaba de la rectitud de la espalda mediante un control permanente de la pelvis.

Dominique Martin nos condujo hasta una relajación permanente de la pelvis. Insistía tanto más en la curvatura lumbar cuanto menos lo hacían desde las escuelas de yoga, los cursos de gimnasia y las escuelas de kinesioterapia.

Noëlle Pérez seguía enseñando la verticalidad respetando la curvatura.

En paralelo, trabajé con un bailarín con una máquina de pilates. Estábamos en constante movimiento y ondulando la columna, cosa que evitaba focalizar sobre la colocación de la pelvis. Aunque debo añadir que mi compañero nunca fue demasiado preciso en ese terreno.

Y entonces, ¿qué hay que hacer?

¿Hay que arquear o no?

Para empezar, hay que evitar los dogmas y los métodos que dañan a quien los propone y a quien los sigue. No perdamos jamás el libre albedrío.

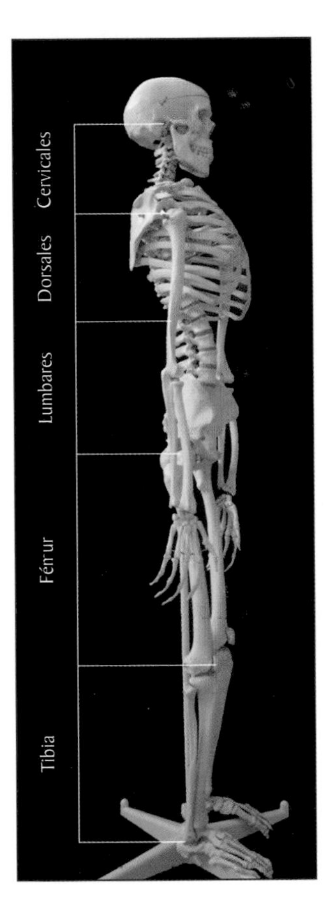

Siempre me he negado a aplicar ningún método, sea el que sea. Siempre hablo de referencias y de enseñanzas, y siempre conservo mi libertad para seguir investigando.

Atravesé momentos terriblemente difíciles porque, durante todas estas formaciones, daba clases de yoga y tenía que modificar mi forma de enseñar en función de los nuevos descubrimientos.

Sin embargo, mis alumnos no me abandonaron; sabían que siempre estaba investigando y, en cierto modo, les daba seguridad. Confiaron en mí y sabían que ellos también podían investigar.

Y entonces, ¿curvatura o rectitud?

Observemos otra vez el esqueleto.

Como hemos visto antes, la columna lumbar llega hasta la mitad del vientre, la pelvis se apoya en las piernas y está reclinada hacia atrás.

Además, si observamos la columna de frente, el cuerpo vertebral, tenemos que contemplar el estiramiento en el interior del abdomen.

Así pues, la curvatura nace en las caderas y depende completamente de cómo nos apoyemos sobre las piernas.

En las clases de pilates que aún hoy sigo practicando, los profesores suelen repetir que hay que trabajar respetando las curvaturas y cuidando la movilidad. El profesor nos invita continuamente a realizar un trabajo de disociación entre la caja torácica y la pelvis.

Blandine Calais, en sus clases sobre el perineo, también habla de respetar la curvatura. En su libro *L'Anatomie pour le mouvement* («Anatomía para el movimiento». Ed. La liebre de Marzo, 2013), se refiere a la pelvis como a una hamaca suspendida entre los fémures y que, por tanto, tiene libertad de movimiento.

Y yo continúo diciendo que hay que dejar de contraer la pelvis y de apretar el vientre y las nalgas. Lo importante es siempre pensar que la pelvis está en movimiento, recordar que está apoyada en las caderas y que se posiciona según los movimientos de la cadera.

Nuestros actos cotidianos a menudo nos llevan a redondear la parte baja de la espalda, de modo que a veces tenemos que adoptar el movimiento inverso para recuperar la fisiología lumbar.

Por eso hablo continuamente de recuperar la curvatura baja. He experimentado un alivio y una libertad de movimientos tan grandes que no querría volver nunca a perder la curvatura. Además, el dolor de espalda ha desaparecido y se me ha estirado tanto el vientre que las redondeces poco estéticas han desaparecido.

Pero, para lograrlo, tenemos que recuperar los apoyos de los pies, los estiramientos de las piernas y todos los movimientos de cadera para que la pelvis se coloque sola. En la postura de la verticalidad, las piernas colocan la pelvis en el ancho de las caderas, como una hamaca entre dos árboles. No se trata de recolocar la espalda, sino las piernas y las caderas, y eso evitará sacar el vientre hacia afuera o apretarlo junto con las nalgas.

Sin embargo, mientras digo esto tengo siempre en mente los volúmenes. Tenemos que ir con cuidado de no relajar completamente el vientre y distender la banda abdominal. Tenemos que seguir abriendo la espalda, inspirando con ella y espirando mientras elevamos el perineo.

Y ahora podéis decirme que, cuando aparece el dolor de espalda, redondear la columna y pegar las lumbares al suelo alivia mucho. Y ahí os paro los pies en seguida y os digo que desconfiéis de lo que nos produce un alivio inmediato porque, normalmente, es una trampa. Siempre recuperamos las costumbres. Suprimimos el síntoma sin entender el origen. ¿Cómo podemos aliviar una zona contrayendo permanentemente otra, en este caso el bajo vientre?

No debemos proteger una zona encerrándola en un caparazón porque, aunque ya no se queje, no estará bien.

Sin contar que, si pierdo la curvatura de la zona de las lumbares, voy a tener que curvar otra zona que no está diseñada para hacerlo. Y perturbaré toda la estática. En este caso, hablaremos de curvatura alta, que se suele confundir con un exceso de curvatura.

¿Y qué le sucede al perineo con todo esto?

El perineo no puede resistir un control permanente.

Observemos el esqueleto desde atrás.

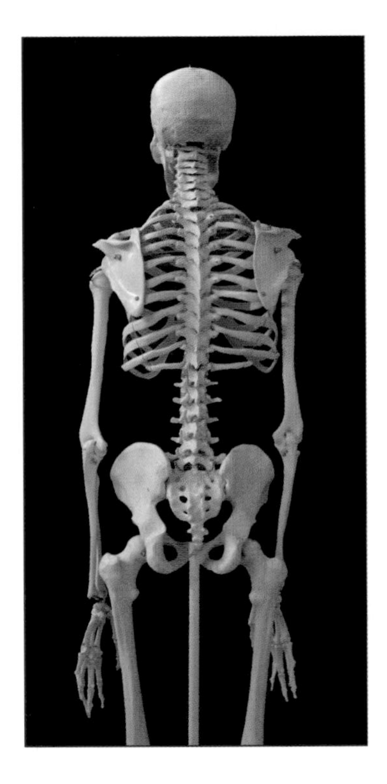

Vemos que la curvatura lumbar llega hasta mitad del abdomen. No hay un antes y un después; la columna está en el vientre y en la espalda al mismo tiempo. Como ya hemos visto, la curvatura nace en la mitad del sacro y llega hasta la decimosegunda dorsal, ni más arriba ni más abajo.

Cada vez que apretamos el vientre, el espacio entre el pubis y el esternón se estrecha, y las nalgas, el interior de los muslos y el perineo están atenazados. No llegan a expresarse.

Cuando estamos de pie sobre la verticalidad, somos ligeros y el suelo pélvico puede ejercer su función de trampolín, de elástico. Cuando inspiramos, las vísceras se apoyan sobre el suelo pélvico pero, en lugar de aplastarse, rebotan y pueden participar en la espiración sin ningún esfuerzo.

Jacques Thiébault me descubrió una zona de desconocía por completo y se lo agradezco mucho, aunque tuve que abandonar la maestría para entrar en un campo de experimentación más flexible.

Alrededor del perineo

De entrada, vamos a interesarnos por todos los músculos que están en contacto con el perineo.

Movilización de la pelvis

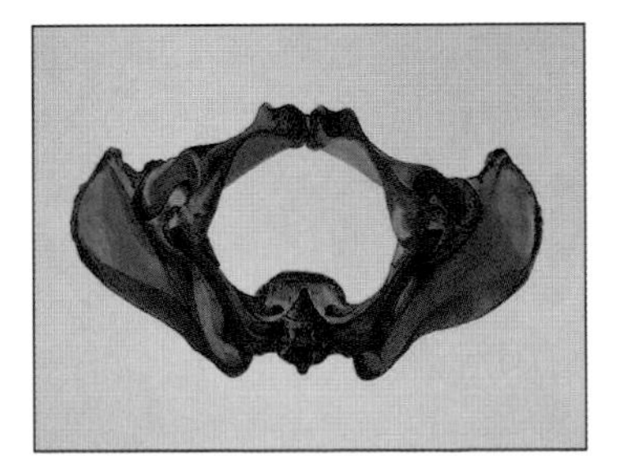

Tomémonos un tiempo para observar esta magnífica ilustración de Cécile Nivet.

Y ahora, pongámonos en movimiento.

Partiendo de la postura de la verticalidad, y sin olvidarnos de elevar las bóvedas plantares que están directamente relacionadas con el perineo, coloquemos las manos encima de las caderas, doblemos ligeramente las rodillas y vamos a describir movimientos circulares, el baile de la pelvis.

Permitamos que la pelvis bascule de delante hacia atrás sirviéndose de los apoyos de los pies y evitando apretar el vientre. Se trata simplemente de un movimiento de la pelvis sobre las caderas.

Desplacemos la pelvis hacia una cadera, y luego hacia la otra, en un elegante contoneo.

Hagámosla girar como si tuviéramos un aro en movimiento en la cintura. Durante el ejercicio, el busto y la cabeza permanecen inmóviles. Todo el movimiento se concentra en el tronco.

Podemos hacer lo mismo tendidos sobre la espalda, con los pies paralelos y separados el ancho de las caderas cerca de la pelvis. Feldenkrais se refiere a esto como el movimiento del reloj:

Imaginemos que la pelvis está encima de un reloj. A las 12 estaría el coxis, el 6 estaría encima del sacro, el 3 sería la cadera derecha y el 9, la cadera izquierda.

Tenemos que bascular la pelvis desde las 6 hasta las 12, y al revés, vigilando de no apretar las nalgas ni el abdomen, y utilizando siempre los apoyos de los pies.

Luego, hacer girar la pelvis pasando por todas las horas y partiendo siempre del apoyo de los pies: la 1, las 2, las 3, etc. Y luego, en sentido contrario: las 12, las 11, las 10, etc.

Podemos dibujar la esfera del «reloj pequeño» girando solamente alrededor del sacro.

Este trabajo también se puede realizar sentados y girando sobre el suelo pélvico.

También es posible movilizar la pelvis con un movimiento de ola, como proponía Martine Le Chenic, profesora de la escuela BKS Iyengar.

Tendidos de espaldas, como en la postura anterior del reloj, realizamos las mismas basculaciones (6-12) pero, en lugar de detenernos en lo alto del sacro, levantamos las vértebras de una en una hasta que llegamos a la última lumbar:

- coxis, sacro, 1.ª lumbar;
- regreso;
- coxis, sacro, 1.ª lumbar, 2.ª lumbar;
- coxis, sacro, 1.ª l., 2.ª l., y así hasta la 5.ª l.

Podemos hacer lo mismo en la postura del gato a cuatro patas.

Después de haber realizado todos estos movimientos, hay que tomarse un tiempo para percibir la relajación del perineo.

Todos los estiramientos del cuerpo pueden ser importantes para liberar el suelo pélvico, pero he elegido concentrarme en las posturas de yoga donde trabajamos los músculos que están en contacto con el suelo pélvico. Es el camino necesario para llegar al suelo pélvico.

Movilización de los músculos vecinos de la pelvis

Las caderas

Postura del héroe con silla

Empezamos con los pies bien separados y los brazos en cruz.

Girar el pie izquierdo hacia dentro y el pie derecho hacia fuera.

Doblar la rodilla derecha sin despegar la parte externa del pie izquierdo (fig. 1).

Descender la cadera derecha hasta la altura de la rodilla. Y subir empujando bien sobre la planta de los pies.

Fig. 1

Nota: También podemos realizar esta postura sentándonos en el borde de una silla para mantener la postura durante más tiempo y trabajar las caderas con mayor profundidad (fig. 2).

Fig. 2

El perineo en las flexiones de caderas

Cuando las puntas de los pies están abiertas, los isquiones se aproximan y el perineo se tensa (fig. 1).

Las piernas únicamente pueden estirarse completamente si los isquiones se separan porque, así, la unión se realiza mediante la cadena posterior hasta la cabeza (fig. 2).

Sucede lo mismo con las piernas separadas. En esta postura, es mejor mantener los pies paralelos para alargar bien la pelvis y percibir mejor el estiramiento de los aductores.

Posición incorrecta

Fig. 1

Posición correcta

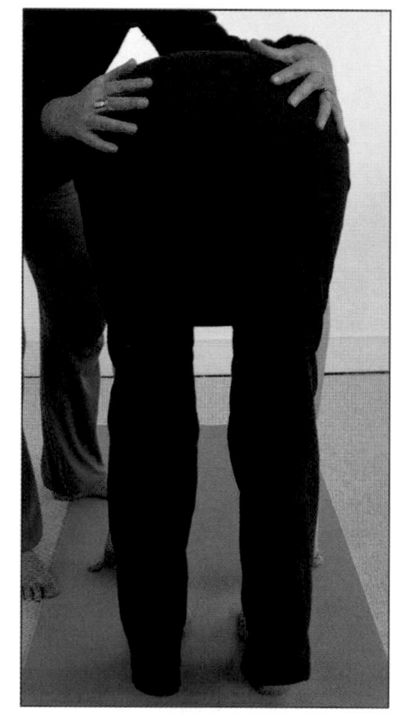

Fig. 2

Rotaciones externas de caderas con cincha

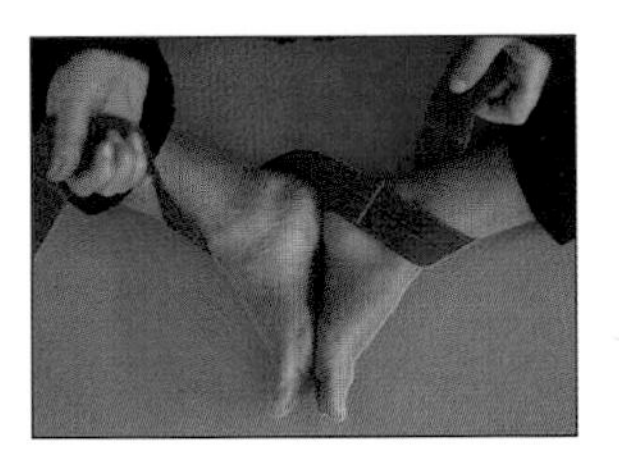

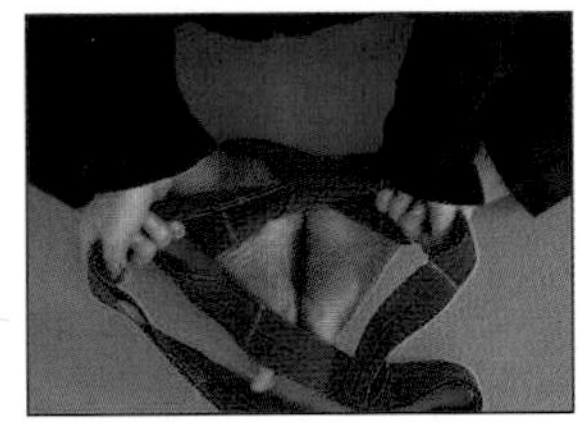

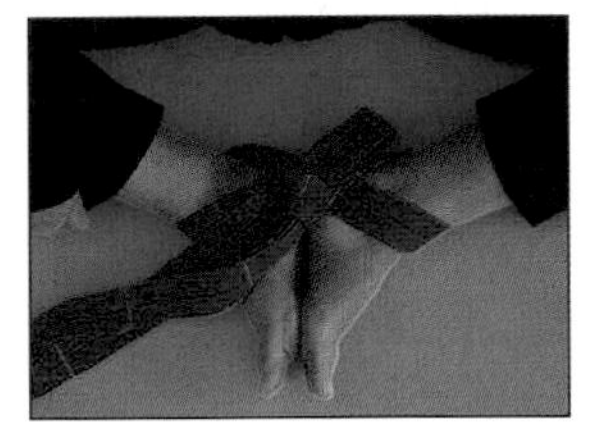

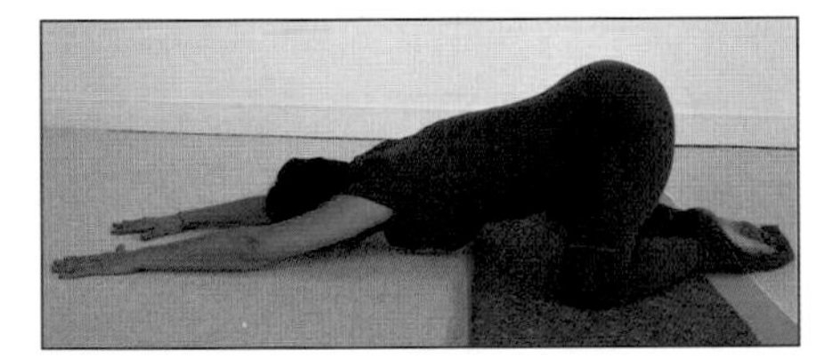

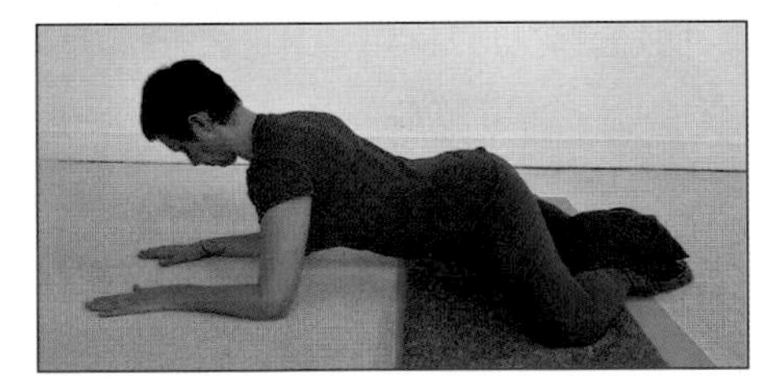

Medio puente en rotación interna de los muslos

Separar los pies hasta el ancho externo de la pelvis.

Apretar las rodillas mientras mantenemos los pies separados.

Colocar las manos encima de una pelota de tenis (figs. 1 y 2).

Elevar la pelvis apoyándonos sobre las manos y los pies (fig. 3).

Apoyar bien la parte alta de los brazos en el suelo (fig. 4).

Descender apoyando vértebra a vértebra.

Fig. 1

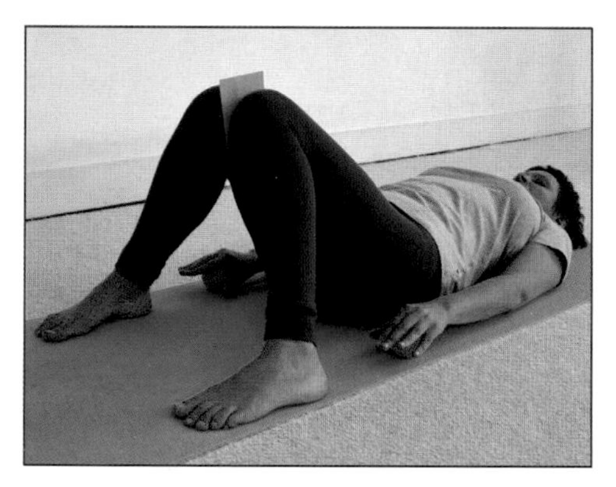

Fig. 2

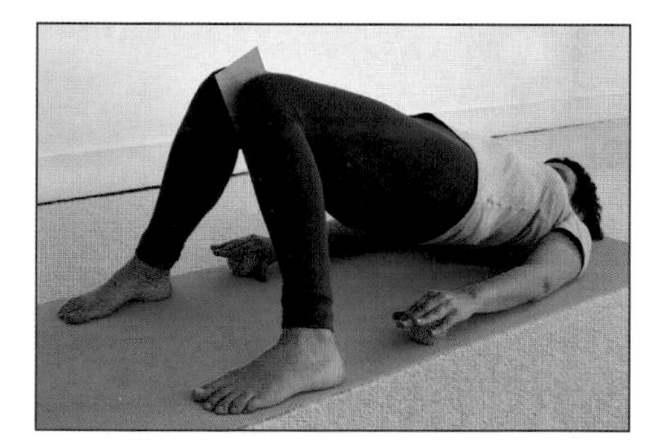

Fig. 3

Fig. 4

Medio puente en rotación externa de las caderas

Tendidos sobre la espalda, en la postura de la rana, colocar las plantas de los pies juntas y separar las rodillas (fig. 1).

Apoyar el peso sobre la parte externa de los pies y las manos, que están encima de unas pelotas de tenis (fig. 2).

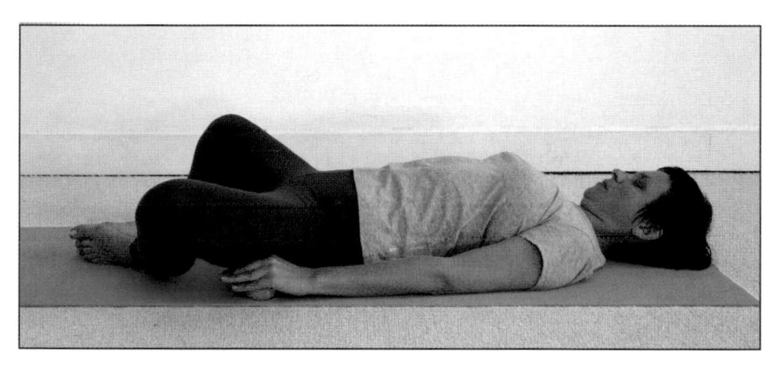

Fig. 1

Fig. 2

Elevar la pelvis acercando las rodillas lo menos posible (fig. 3).

Bajar la espalda vértebra a vértebra.

Fig. 3

Los abdominales

De entrada no hablaremos de contracciones, sino de estiramientos. Empezaremos estirando la espalda con el semicírculo y beneficiaremos la parte delantera. Después, estiraremos los oblicuos en una torsión que realizará un masaje visceral.

Estiramiento de la región dorsal con el semicírculo

Sentarse con la pelvis pegada al semicírculo. Para hacerlo, colocar los pies paralelos, separados el ancho de la pelvis, con las rodillas separadas para facilitar la flexión de las caderas y acercar el sacro lo máximo posible al semicírculo.

Sostener la cabeza con un calce y los codos separados el ancho de los hombros. Descender la espalda vértebra a vértebra con la espiración, sujetando bien la cabeza y con la dinámica de la espalda redonda, para no crear tensiones en la espalda.

La espalda debe quedar completamente apoyada en el semicírculo y las manos se encargan de percibir lo que experimentan las distintas zonas.

Torsión acostada

Tendidos encima de la espalda, doblar las piernas y colocar los brazos en cruz (fig. 1).

Apoyando los pies, desplazar la pelvis hacia la izquierda (fig. 2).

Cruzar la pierna izquierda por encima de la derecha (fig. 3).

Sin despegar los hombros del suelo, y después de haber descargado ligeramente la cabeza, colocar la oreja izquierda donde estaba el cráneo (suele ser necesario tener un calce debajo de la cabeza). Descender las rodillas hacia la derecha. La columna permanece en el eje gracias al descalce de la pelvis. No levantar demasiado las rodillas para permanecer en la curvatura lumbar, ni bajarlas demasiado para evitar la torsión del plexo dorsolumbar. Levantar bien el perineo antes de espirar para evitar presionar el bajo vientre (fig. 4).

Regresar las piernas a la posición inicial durante la espiración.

Cambiar de lado.

Empezar siempre la torsión elevando el perineo para evitar cualquier presión sobre el bajo vientre.

No perder la curvatura.

Fig. 1

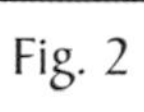

Fig. 2

Fig. 3

Fig. 4

La cremallera

Esta metáfora planteada por Martine Le Chenic nos permite entender perfectamente que descomprimir el vientre no quiere decir relajarlo todo, sino pensar en la banda abdominal.

Imaginar una cremallera en los grandes rectos, inspirar alargando la espalda para no tensar la cremallera. Cuando digo inspirar, me refiero a lo opuesto a la resistencia para evitar apretar el vientre.

La danza del abdomen

Esta propuesta que recupero de mi trabajo con Martine Le Chenic recurre a la imaginación con imágenes muy precisas:

- Imaginar un pequeño rollo en el espacio entre el pubis y el ombligo. Hacerlo rodar a lo largo del coxis y del sacro, ascender y cambiar de sentido. Hay que evitar ayudarse con la respiración. Es aconsejable imitar el movimiento con los dedos.
- Imaginar dos rollos alargados en el espacio entre el pubis y el ombligo que hacemos rodar sobre ellos mismos partiendo siempre de la espalda que queremos alargar.

Ahora todo está listo para trabajar la banda abdominal.

Las posturas que presento a continuación hay que ejecutarlas con muchas precauciones. Solemos tener la tentación de apretar los músculos, y acortarlos, cuando se trata de reforzar la musculatura profunda.

Reforzamiento de los abdominales profundos

Tendidos sobre la espalda con un pequeño rollo debajo de las lumbares para mantener la espalda en posición neutra (fig. 1).

Partiendo del apoyo del sacro en el suelo, despegar los pies y alargar las piernas de forma progresiva sin bloquear la respiración (figs. 2 y 3).

El perineo se contrae primero.

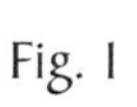
Fig. 1

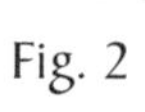
Fig. 2

Fig. 3

La barca, trabajo de los abdominales profundos

Equilibrar las nalgas.

Estirar las piernas mientras mantenemos la espalda en posición neutra y seguimos respirando con normalidad (figs. 1 y 2).

Jamás hay que redondear la espalda cuando trabajamos los abdominales (fig. 3).

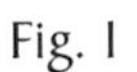

Fig. 1

Fig. 2

Posición incorrecta

Fig. 3

Los aductores

Retomemos la postura que habíamos propuesto en el apartado «Toma de consciencia de uno mismo», pensada para descomprimir el perineo y entrar en contacto con los aductores de una forma más lenta.

Como las piernas están en posición vertical, es difícil mantener la espalda neutra y conservar la curvatura lumbar baja con el apoyo del sacro.

Colocamos el rollo debajo del plexo lumbosacral antes de empezar con los ejercicios de estiramiento.

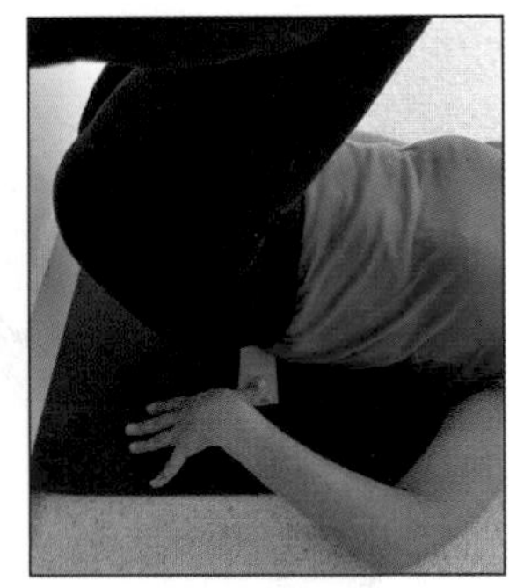

Colocar los pies en la pared de forma paralela, alargar la pelvis y respirar en el fondo de ésta.

Una vez el perineo está descomprimido, podemos estirar las piernas y separarlas, el estiramiento se produce solo y sólo afecta a la parte interior de las piernas.

Las posturas invertidas también son muy importantes para relajar el suelo pélvico y para permitir que la masa visceral recupere la movilidad.

Por posturas invertidas entendemos todas aquellas en que la cabeza está por debajo de la pelvis. Algunas son muy sencillas, como el gato que se estira que, además de relajar el bajo vientre, también estira profundamente la columna.

El gato que se estira

Sentados sobre los talones, con los brazos estirados, las manos separadas por el ancho de los hombros y lejos de la cabeza (fig. 1).

Las manos frenan el avance mientras las rodillas empujan el pubis hacia delante para colocarnos en la postura del gato con la espalda redondeada (fig. 2).

Bajar primero un codo y luego el otro, a la altura de las manos (fig. 3).

Echar el tronco hacia atrás para realizar, de forma progresiva, un estiramiento de la espalda y una flexión de las caderas, al tiempo que descomprimimos la espalda. El perineo puede respirar sin presiones (fig. 4).

Fig. 1

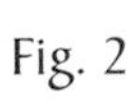

Fig. 2

Fig. 3

Fig. 4

Perro con la cabeza baja

A partir de la postura del gato con la espalda redondeada (fig. 1), y apoyando las manos, estirar la espalda y dejar que las rodillas se levanten progresivamente, aunque sin querer estirarlas por completo (fig. 2).

Desplegar las rodillas sin hacerlas retroceder para elevar los isquiones (figs. 3 y 4).

Podremos estirar las piernas después de un buen estiramiento de los isquiotibiales (fig. 5).

Fig. 1

Fig. 2

Fig. 3

Fig. 4

Fig. 5

Postura sobre la cabeza

La postura sobre la cabeza requiere un camino de preparación previo para saber utilizar correctamente el apoyo de las manos, los codos y conseguir una buena abertura de hombros para poder lograr la verticalidad sin apoyar todo el peso sobre la cabeza.

La postura sobre la cabeza es muy estimulante. En caso de hipertensión o glaucoma, hay que evitar hacerla.

Después de la postura sobre la cabeza, siempre propongo realizar la vela, para calmar al cerebro.

Esta postura es delicada y requiere una buena preparación para poder respetar la verticalidad. Y de ahí la importancia de utilizar material para paliar cualquier rigidez.

Verticalidad en la vela

A partir de la posición de inicio (fig. 1), levantar primero un pie y luego el otro sin derrumbarnos (figs. 2 y 3).

Fig. 1

Fig. 2

Fig. 3

Utilizaremos una banda para sujetar los codos y mantenerlos al ancho de los hombros. Después, alinear los hombros, la cadera, las rodillas y los tobillos para conseguir la verticalidad (fig. 4), para lo cual las manos suben hacia los hombros para sujetar el esternón contra el mentón, mientras que las piernas están activas para abrir los pliegues del ano.

A continuación, podemos realizar algunas variaciones de esta postura, como separar las piernas (fig. 5).

También es posible apoyar los pies en algún objeto o en el suelo, dependiendo de las posibilidades de cada uno.

Fig. 4

Fig. 5

Regreso de la vela

Hay que saber utilizar el peso de las piernas y el estiramiento de los brazos para bajar la espalda vértebra a vértebra.

Si notamos tensión en la pelvis, es mejor doblar las rodillas durante el descenso y evitar hacerse daño en la espalda.

Y ahora llegamos al momento de realizar un trabajo del suelo pélvico en toda su superficie.

He elegido no utilizar demasiados términos anatómicos. Utilizaré mis propias palabras, las que utilizo cuando hablo de este asunto.

También utilizaré imágenes que me han trasmitido mucho a lo largo de mis distintas formaciones con Jacques Thiébault, Hélène Todorovitch, alumna de Blandine Calais, y Martine Le Chenic.

Recuerdo una vez más que el trabajo es el mismo para hombres y mujeres, a pesar de que las imágenes que muestro puedan identificarse con un sexo o con otro.

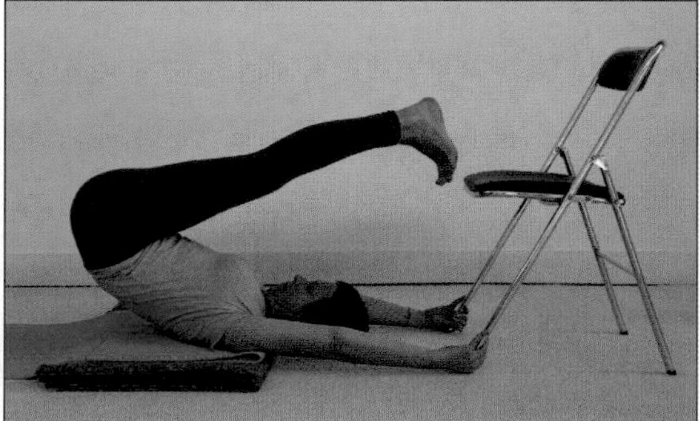

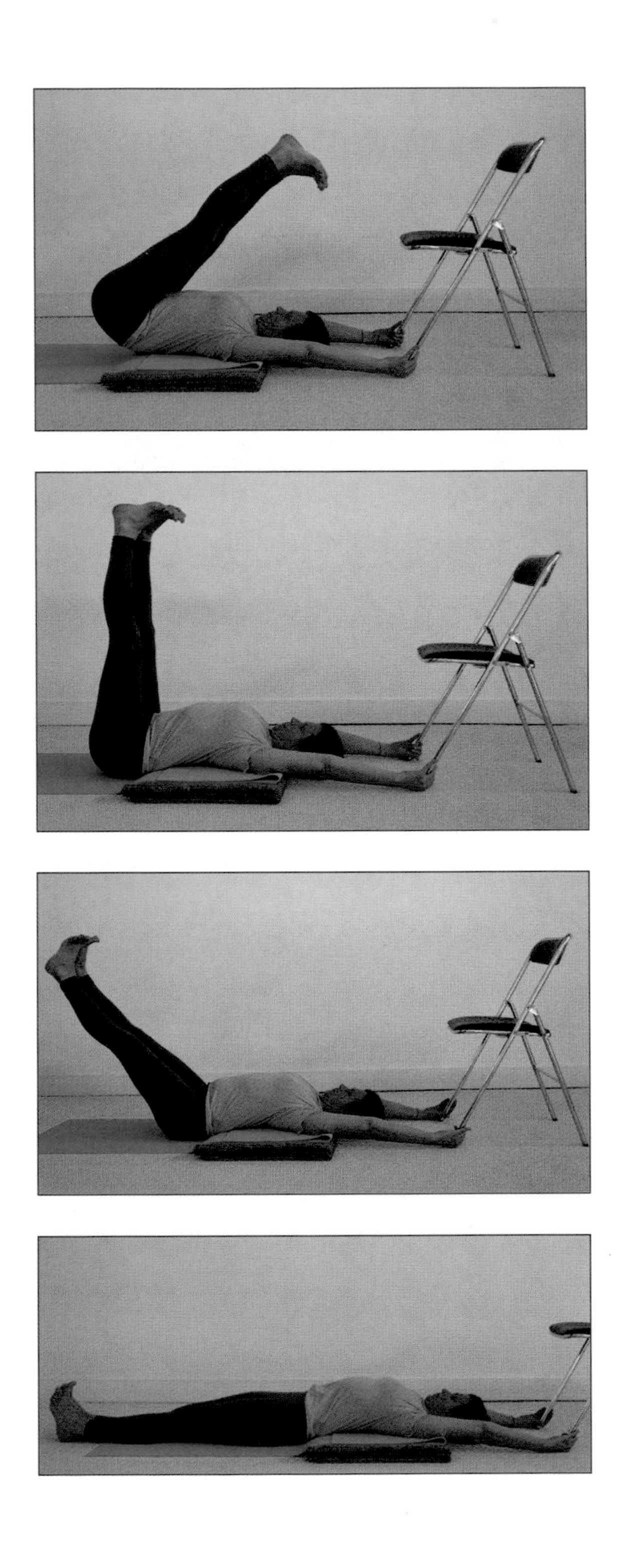

Trabajo del perineo

Ahora que ya hemos reparado el espacio donde el suelo pélvico va a evolucionar, volvamos a observarlo de cerca.

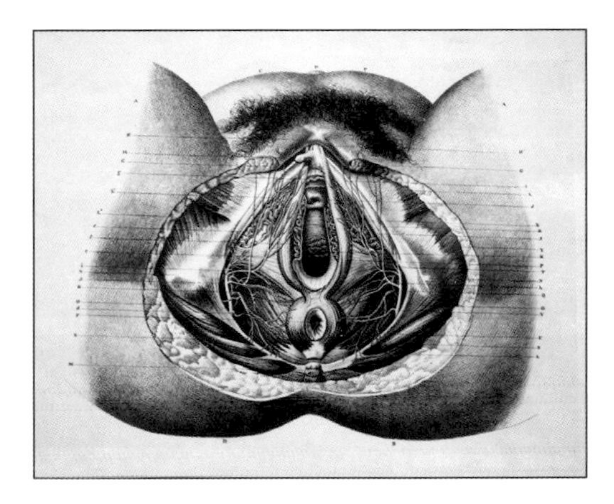

Vemos que el fondo de la pelvis es un espacio grande. Los músculos superficiales se unen encima del pubis, del coxis y de los isquiones.

Si seguimos observando, vemos que este gran espacio del suelo pélvico está atravesado por los orificios del ano, la vagina y la uretra.

Fijémonos ahora en la musculatura profunda. El recto termina en el ano, el útero termina en la vagina y la vejiga termina en la uretra.

Si empezamos por abajo, el ano va de atrás hacia delante mientras que la vagina y la uretra van de adelante hacia atrás.

Y es importante recordarlo cuando vayamos a hacer trabajar todos estos músculos profundos. Es mejor saber cómo están colocados.

Antes de hablar de contracciones, imaginemos que el suelo pélvico es como la colchoneta dura de una tienda de campaña. Clavamos piquetas alrededor para mantenerla firme, y las sujetamos con gomas elásticas. Cuando hablemos de elevar los músculos del suelo pélvico, tendremos que estirar lo menos posible la estructura ósea y utilizar la elasticidad de los músculos.

El perineo tiene que habitar en un espacio muy abierto para que los músculos puedan estirarse y contraerse sin esfuerzo.

El trabajo que propongo a continuación se inspira, aparte de en mi investigación personal, en imágenes creadas por Hélène Todorovitch según las enseñanzas de Blandine Calais Germain.

El plano superficial

Nos tendemos sobre la espalda, bien apoyados sobre el sacro, y respetamos la curvatura lumbar separando el pubis del ombligo y el coxis de la cabeza.

Visualizamos la línea del pubis por delante, el coxis por detrás e intentamos acercar el pubis al coxis, y viceversa, utilizando lo menos posible la musculatura profunda.

Los dos se encuentran en el centro tendinoso.

Acercamos los dos isquiones hacia el centro tendinoso, sobre todo hacia delante.

Reunimos los cuatro puntos hacia el centro tendinoso.

Después, realizamos los mismos ejercicios en las posturas del gato.

El plano medio

Nos sentamos encima de una pelota casi deshinchada, separando bien los isquiones. Confiamos el peso del perineo a la pelota.

Levantamos todo el conjunto y lo relajamos.

Sentir la diferencia entre empujar y, sencillamente, relajar.

En la postura de inicio, Hélène Todorocitch propone la imagen de las tenacillas para el azúcar que agarran el terrón del fondo del azucarero sin estropearlo y lo depositan delicadamente.

Sentir que la contracción parte del perímetro de la pelvis hacia el interior.

Podemos realizar este ejercicio con cualquier respiración para reparar la musculatura. A continuación, realizar una inspiración lenta para tocar el fondo de la pelvis sin empujarla. La espiración comienza elevando toda la musculatura.

El plano profundo

El plano profundo viene a prolongar el trabajo del plano medio. Repetiremos los mismos ejercicios que hemos propuesto en el anterior punto e intentaremos que sean cada vez más profundos.

Abordaremos este plano de forma más precisa examinando las vísceras de la pelvis menor.

Las vísceras de la pelvis menor y el perineo

La uretra

Hay dos esfínteres:

- uno superficial que depende de nuestra voluntad;
- uno profundo que depende del sistema neurovegetativo y que no podemos cerrar.

Cerramos el esfínter superficial y lo abrimos.

Hacemos como si quisiéramos acercar la uretra al pubis.

Imaginamos que aspiramos un líquido y que lo dejamos caer.

Hay que evitar, sobre todo, «interrumpir el pipí» y realizar este ejercicio al inicio del período menstrual.

El ano

Sentados, si lo hacemos de forma correcta, sobre los isquiones, el ano está detrás.

Lo elevamos de atrás hacia delante.

Los esfínteres del ano son:

- Los pellejeros, los más finos y más pequeños. Para repararlos, hay que visualizar las fibras sensibles de la entrada del anillo anal, cerrarlos como si quisiéramos sujetar un pequeño objeto, y luego relajarlos.
- El superficial, que está más arriba y es más grande. Para repararlo, elevar en círculos más largos y espaciados, cerrar varios anillos, uno después de otro, y después relajar.
- El profundo, sobre el que no se puede intervenir directamente. Al cerrar, sentimos que llega un momento en el que ya es imposible seguir haciéndolo. Es la señal de que hemos alcanzado el esfínter profundo.

Ejercicios complementarios

Elevar el ano sin cerrarlo, observar el paso de un fino hilo de luz y llegar hasta el plano profundo.

Contraer, relajar, contraer, relajar, etc.

Tomarnos un tiempo para relajarnos.

Cerrar los esfínteres pellejeros, elevarlos lo máximo posible, después descenderlos, relajarlos, descenderlos, relajarlos, y así en todas las etapas.

La vagina

Es un conducto que llega muy arriba. Lo trabajamos desde adelante hacia atrás.

Ejercicios

Imaginar un pequeño objeto con forma de canica blanda a la entrada de la vagina.

Agarrarlo y soltarlo.

Levantamos la vagina desde abajo, nos detenemos y la dejamos descender de forma suave.

Descomprimimos la parte exterior para soltarla.

La mayor parte de estas imágenes están adaptadas a las mujeres, pero los hombres también tienen un perineo que funciona de forma parecida aunque con un enfoque muy distinto.

El perineo y los hombres

A los hombres no les interesa, y ni siquiera hablan de esto. Excepto André Van Lisebeth, pionero en el mundo del yoga en Occidente, que ha escrito sobre esta cuestión.

A diferencia de las mujeres, que pasan por la menstruación, embarazos, partos, etc., el hombre sólo piensa en el perineo ante la aparición de los primeros problemas.

Cedo la palabra a mi marido Serge, que también trabajó con Jacques Thiébault y que viene a hablarnos desde su experiencia.

***

No he esperado a tener problemas para interesarme por el perineo, porque en las posturas de yoga se trata con frecuencia, aunque debo admitir que una fragilidad a nivel de la próstata ha creado un estado de urgencia.

Y fue una suerte, porque pude abrirme a esta zona y descubrir hasta qué punto debemos tender a la descompresión en lugar de a la contracción. Ahora empiezo a sentir que el perineo está presente en cada respiración, que está vivo.

Y entonces, ¿qué hay que hacer?

Podríamos decir que el hombre no está preocupado por la fragilidad del perineo. Y, en cambio, cualquier empujón hacia abajo hará que la banda abdominal sea más frágil, podrá provocar hernias (inguinales, umbilicales, etc.) y una perjudicial disminución de la movilidad de la próstata.

El hombre podrá visualizar un espacio vacío entre el sexo y el ano, que será el punto central de la elevación del perineo.

Hay que evitar la contracción del perineo al nivel del pene, que podría convertirse en una masturbación y no es lo que buscamos.

El trabajo de mula bandha (elevación del perineo) y de uddhyana bandha (falsa inspiración. *Véase* capítulo sobre la respiración) influirá en la movilidad prostática.

Todas las posturas que hacen trabajar las caderas, y en concreto el músculo piriforme (piramidal), ayudarán a los hombres a relajar las nalgas, a abrir la pelvis desde el interior y a dejar más espacio.

La postura del gato que se estira (con las rodillas separadas) o la del perro con la cabeza agachada ayudarán a descomprimir el perineo y a alargar el espacio entre los isquiones.

Se suele decir que los hombres tienen una pelvis más estrecha, y es cierto en el plano anatómico, pero no por ello hay que bloquearla. Las posturas con las piernas separadas se pueden adaptar para que tanto hombres como mujeres puedan realizar la abertura.

Igual que en el caso de las mujeres, todas las posturas invertidas ayudan a relajar la zona.

La sexualidad

Los hombres hablan poco de su sexualidad, y menos si presenta un problema. Y, sin embargo, los problemas son bastante habituales: impotencia, eyaculación precoz... ¿Quién no los ha sufrido alguna vez?

No nos escondamos detrás de la patología y realicemos la descompresión, que es lo que permitirá tomar conciencia del perineo.

El hombre contrae y quiere retener muy a menudo. Sin embargo, demasiada descompresión podría resultar en una pérdida de erección. En ese momento será muy importante la movilización del perineo.

Evidentemente, todo es cuestión de relación, intercambio y conversación con la pareja.

Leamos con gran interés las opiniones de André Van Lysebeth en su libro *Tantra: el culto de lo femenino*, del cual os expongo un extracto: «Ignorar la estructura del pene es un lujo que sólo puede permitirse aquel que no tenga ningún problema de erección ni la ambición de dominar la eyaculación… Y también pienso en la mujer. ¿Cómo puede colaborar de forma inteligente en el proceso si ignora las normas del juego?».

Y ya está, ahora la pelota está en el otro tejado. Solemos pedir al hombre que se interese por las experiencias de la mujer para entenderla mejor, aunque no pedimos tan a menudo a la mujer que se interese por el hombre.

Como dijo Van Lysebeth, ahora hay muchos libros sobre el perineo femenino y la sexualidad femenina, pero ninguno para los hombres. ¡Qué pena que su libro ya esté descatalogado!

Nos dice que, sobre todo, hay que hablar de relajación en el momento de la relación sexual, nada que sorprenda a este profesor de yoga que cree que el yoga forma parte de todo lo que hacemos de forma cotidiana.

Hablar de controlar la respiración, de ser conscientes, de respirar despacio y de forma profunda. Todo nos conduce al yoga.

Sin embargo, igual que en el caso femenino, la descompresión no basta y también se trata, como hemos dicho, de una cuestión de musculatura.

Incluso en un hombre joven y robusto, el escroto puede estar relajado a consecuencia del calor ambiente… Caballeros, nuestros testículos se conservan mejor con el frío.

¿Los baños derivativos también son aconsejables para hombres? Por supuesto. Yo los realizo a diario desde que empecé a tener problemas y he constatado una notable mejoría.

Los hombres también deben reconsiderar sus experiencias y sus hábitos de vida. Deben aprender a acoger, recibir, a que los reciban y a vivir las dificultades del momento como tantas otras enseñanzas.

***

Justo cuando estoy a punto de concluir este capítulo, acabo de conocer a Jean Frichet, que ha escrito dos libros sobre este asunto después de haber superado un cáncer de próstata. Nace de la experiencia y su libro *Ma prostate, son cancer et moi*, de ediciones Taïman, está muy bien documentado y habla con su mujer con mucha sencillez de su sexualidad y de todos los problemas inherentes después de un cáncer. En cuanto les hablé del yoga, desperté su curiosidad.

***

Cómo orinar

La mayor parte de los hombres empujan la pelvis hacia delante para orinar. Un día, en una estación de servicio, vimos una publicidad de cómo un padre y un hijo orinaban a la vez, y desde la mayor distancia posible. Para hacerlo así, la única solución es echar la pelvis hacia delante. Eso provoca que hundamos la caja torácica, que acaba comprimiendo el vientre. Es como si inclináramos hacia arriba la boquilla de la tetera para servir el té.

Echar la pelvis hacia atrás, alineándola con los talones dentro de la verticalidad, descomprime el perineo. La próstata recupera la movilidad sin que la masa visceral la aplaste. Así facilitamos la micción: la boquilla de la tetera está hacia abajo.

Para terminar este capítulo, invito a los caballeros a empezar a trabajar y, sobre todo, a que se atrevan a hablar con más sencillez de los problemas que puedan ir apareciendo.

Yo mismo acompaño a un hombre, que acudió a mí aconsejado por su médico, y está tomando conciencia del estado de tensión en el que se encuentra. Ya me ha hablado de sus problemas, por supuesto, pero debo decir que estamos realizando un trabajo más global, aunque la respiración nos invite a regresar a esta zona y a notar que lo hacemos.

***

Retomo la palabra para invitar, a hombres y mujeres, a participar en su respiración. Veremos hasta qué punto la forma de respirar puede despertar el suelo pélvico.

Las posturas son los preliminares para la descompresión del cuerpo, pero sin el trabajo respiratorio, la postura no tiene razón de ser.

A continuación, hablaremos de determinadas técnicas de respiración aplicadas en pranayama.

El perineo y la respiración

¿Qué es respirar?

Olvidémonos de inmediato de la idea de que respirar es tomar aire; respirar es, ante todo, vaciarse de aire y después crear un espacio para que el aire vuelva a entrar sin esfuerzo.

Empezar a practicar yoga quiere decir descubrir la espiración.

Iniciamos las posturas, sobre todo cuando son nuevas, con la espiración porque siempre existe la «expectativa ansiosa de la novedad», de la que solía hablar Jacques Thiébault. Ante el mínimo temor, la mínima preocupación o la mínima actividad, la respiración se bloquea de forma inconsciente. De ahí la importancia de empezar por la espiración, para romper ese esquema.

La inspiración no es más que una cuestión de voluntad: dejar inspirar en lugar de inspirar, y olfatear el aire en lugar de tomarlo.

Respirar es iniciar un movimiento.

Cuando inspiramos, la cima del diafragma torácico desciende, se apoya en el hígado (a menos que esté enfermo) y reposa las vísceras hacia el diafragma pélvico, que reacciona y se contrae, las costillas bajas se abren, la caja torácica adquiere volumen, crea un espacio y «se llama al aire».

El aire no abre la caja torácica, es el movimiento de ésta el que llama al aire y los pulmones se llenan.

Cuando espiramos, los abdominales profundos siguen el camino iniciado por el diafragma pélvico. Se van cerrando de abajo hacia arriba de forma circular, las costillas bajas descienden como el asa de un cubo, el diafragma asciende y el aire sale por las narinas.

Interesarse por la respiración es enfrentarse a ella o, lo que sucede con más frecuencia, enfrentarse a las dificultades respiratorias. Un bebé no aprende a respirar; respira. ¿Por qué hemos perdido esa respiración instintiva?

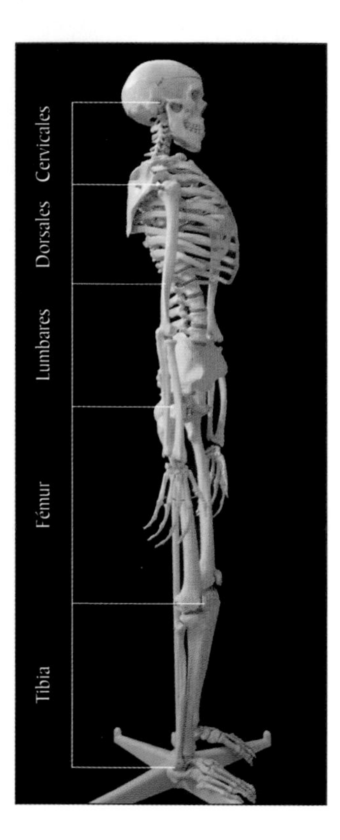

Cuando quiero airear una habitación, no voy a buscar el aire que está fuera para meterlo dentro. Abro puertas y ventanas y el aire entra solo sin que yo intervenga. ¿Cómo podemos abrir las puertas del cuerpo?

Interesarse por la respiración y el pranayama es haber realizado un buen trabajo postural y haber restablecido una forma de equilibrio cercana a la verticalidad, para que los volúmenes estén presentes y bien alineados. El cuerpo debe estar receptivo y disponible a la respiración.

¿Y cómo participa el suelo pélvico en la respiración?

Fijémonos de nuevo en el esqueleto: vemos que el cuerpo está formado por volúmenes que se comunican entre ellos. El cráneo, la caja torácica y el abdomen. El suelo pélvico forma parte del abdomen.

Empecemos por el abdomen, y más adelante ya veremos que el suelo pélvico también depende directamente de la caja torácica.

Los volúmenes respiratorios

El volumen del abdomen

¿Cómo se hace este volumen?

En la parte superior del abdomen tenemos el diafragma torácico y en la parte inferior, el diafragma pélvico. Sobre los costados tenemos los músculos abdominales profundos y, delante, los grandes rectos.

El vientre, hogar de los órganos, las vísceras y punto de transición, debe ser flexible y ligero.

Hay que evitar apretarlo con la falsa idea de que, si lo hacemos, conseguiremos un vientre plano. Ese vientre plano sólo durará si está en tensión. ¿Y cómo participará en la respiración si está continuamente bloqueado?

No apretar no quiere decir que debamos tener un vientre blando, sin tonicidad, sino que la tonicidad tiene que nacer de los abdominales profundos y el perineo.

Hablar en términos de volumen en seguida nos lleva al interior. No hay delante ni atrás. Sólo hay «interior».

Escuchemos a Boris Dolto en su libro *Le Corps entre les mains* («La cinesiterapia práctica». Ed. Paidotribo, 1995):

> Un vientre hostil molesta o perturba la actividad del corazón y de la respiración. Ahora bien, la respiración varía a lo largo de la jornada según el estado de ánimo o los acontecimientos imprevistos. Si fijamos la atención, retenemos la respiración, y ahí es cuando debemos inmovilizar el diafragma.
>
> El hecho de retener la respiración mediante el bloqueo del diafragma es uno de los primeros y más viejos mecanismos diseñados para suprimir las sensaciones de placer en el abdomen y para interceptar la angustia en el origen.
>
> El vientre es una profunda fuente de vida.

La respiración en el abdomen

Como hemos visto anteriormente, el movimiento de la inspiración se vive sin esfuerzo, sin presiones; se trata de respirar un delicado perfume, de olfatear el aire a lo lejos sin tomarlo, de respirar en las cavidades renales, en la espalda.

Hay que evitar la difundida imagen de inflar un globo en el vientre, porque provoca que presionemos sobre las vísceras, de delante hacia la espalda, y nos desvía de la verdadera inspiración, que pretende recibir el aire en todo el cuerpo. Pensemos en la imagen de la cremallera, de la inspiración contra la resistencia que ya hemos comentado.

El movimiento de la espiración es como una ola que nace de la contracción del suelo pélvico y sigue por toda la columna vertebral.

No hablamos de cerrar el vientre cuando espiramos, sino de iniciar una ola respiratoria que contraerá los abdominales profundos.

No confundamos cerrar el vientre mediante una mala basculación de la pelvis con la contracción de los grandes rectos, lo que reduce el espacio entre el esternón y el pubis. Hablamos de mantener la banda abdominal (cremallera) para no distenderla (contracción de los abdominales profundos que va a continuación de la elevación del perineo).

El volumen de la caja torácica

La caja torácica es el punto alto de la respiración. ¿Cómo ensanchar los espacios entre los barrotes y abrirse a la respiración?

A menudo, la caja torácica evoca una prisión en la que estamos encerrados.

Si miramos el esqueleto, vemos que la caja torácica es aérea y la sostienen, a la vez, el abdomen y los músculos del cuello. Comparémoslo con un globo aerostático que asciende y avanza por la fuerza del fuego de la espalda.

Si se aplasta con la espiración es porque el fuego del vientre no ha realizado bien su misión. Si inspirar nos cuesta esfuerzo es porque no se ha elevado lo suficiente. Y también podríamos constatar que las piernas tampoco la sostienen lo suficiente (bóvedas plantares planas, pies en V, pérdida de la verticalidad, atrofia muscular).

El volumen del cráneo

El cráneo también respira. ¿Cómo podemos despertar los huesos del cráneo para que participen en el movimiento respiratorio?

«En la verticalidad, la cabeza sólo puede pedir el tono muscular de la persona despierta», nos decía Dominique Martin.

Y, exactamente, se trata del tono muscular de la persona despierta.

La columna tiene que estar estirada, tenemos que relajar todos los músculos que vendrían a «tirar de ella» para permitir que emerja y que el cráneo se pose encima como un huevo encima de una cabeza de alfiler.

Y sin contar con todo lo que sucede en el interior de la boca: cómo colocamos la lengua, la relajación de las mandíbulas, el equilibrio de los dientes, etc. Es un trabajo tan complejo que, a menudo, exige la ayuda de osteópatas y de determinados dentistas. Hablo de esto al final del libro.

Los diafragmas

Para empezar, veamos la ubicación de cada uno de los diafragmas.

Abajo, tenemos el diafragma pélvico, que es la base del abdomen. Arriba, tenemos el diafragma craneal, que es la parte superior del cráneo. Y en medio, tenemos el diafragma torácico que es, al mismo tiempo, la base de la caja torácica y la parte superior del abdomen.

También podríamos hablar de la base de la garganta, que funciona como un diafragma, o del tobillo, que algunos osteópatas consideran un diafragma más.

Para mí, las bóvedas plantares son una guía importante para descubrir cómo se comporta el perineo. Las bóvedas hundidas suelen indicar un perineo hundido; un talón estrecho suele señalar una pelvis estrecha, etc.

Es posible encontrar vínculos por todas partes, pero voy a ceñirme a los tres diafragmas principales. ¿Cómo están unidos?

El diafragma pélvico

No voy a volver a describirlo, pero Jacques Thiébault nos recuerda que «la movilidad del diafragma pélvico contribuirá a elevar la masa visceral y aumentará la movilidad de dicha masa».

Cuando este diafragma es lo suficientemente libre y está descomprimido, se pone en movimiento en respuesta al movimiento del diafragma y se convierte en un «canalizador de energía».

Decir que la columna de aire nace del perineo es ampliar el campo respiratorio y nos permite ir un poco más lejos en la exploración.

Jacques Thiébault siempre nos recordaba la importancia del perineo en la respiración pero, ¿no suele estar aislado?

¿Cómo encontrar un posible juego entre el diafragma torácico y el diafragma pélvico?

Cuando todo está en su sitio, cuando el vientre está ligero, flexible y distendido, el diafragma torácico tiene la virtud de imantación hacia la parte superior de las vísceras abdominales y, por lo tanto, aligera el diafragma pélvico.

Sin embargo, no esperemos a que todo sea perfecto y esté en su sitio para empezar a trabajar.

A menudo, es cuestión de contracción y solidez del suelo pélvico, y nos olvidamos de que tenemos que pasar por la descompresión y la desdramatización. No hablemos de ejercicios a realizar, sino de encuentros, de tomas de conciencia. Más adelante trataremos el trabajo de los bandhas (ligaduras) más específico en el pranayama (técnicas respiratorias).

El diafragma torácico

> El diafragma une y separa el abdomen y el tórax y, por lo tanto, todo lo relacionado con los instintos y los sentimientos. Además, permite que lo Puro, celeste, ascienda hacia los Pulmones, el Corazón y el Cerebro, y evita que lo Impuro, terrestre, lo haga. El diafragma separa para reunir, filtra para integrar, y mantiene lo Puro y lo Impuro en su justa medida. Su función es la entereza, la puesta en relación armoniosa de todas las estructuras del ser.*

El diafragma torácico es el músculo respiratorio más importante del cuerpo; separa la cavidad abdominal de la cavidad torácica, de donde emerge. De este modo, está en contacto, por debajo, con los órganos abdominales como el hígado, el bazo, el estómago, etc. y, a nivel torácico, con la pleura y el pericardio.

¿No os parece un auténtico sitio de paso?

Parece que todo nuestro «buen funcionamiento» descanse sobre esta zona pero, ¿acaso este diafragma depende de toda una compleja organización que provoca que la menor disfunción desencadene un problema respiratorio?

A este respecto, recuerdo haber sufrido graves problemas respiratorios durante un viaje a Ladakh, India, a mucha altitud; tenía el hígado completamente bloqueado y, como el diafragma no podía apoyarse en él, acabé con una respiración muy perturbada.

> La respiración natural, la que observamos en los recién nacidos y que suele manifestarse durante los ejercicios de relajación, es donde la inspiración (mediante el descenso del diafragma) está activa y la espiración es pasiva, porque el diafragma está regresando a su posición inicial de reposo.
>
> Esta respiración se basa totalmente en la capacidad de permitir que el diafragma regrese libremente durante la espiración y esté activo en la inspiración.
>
> Lo ideal sería que la vaga respiración que inicia el diafragma llegara a tocar el perineo. El regreso del diafragma durante la espiración crea una suave aspiración, vinculada a la retractación elástica (conformidad) del pulmón, a

* Jean-Marc Kespi: *L'Homme et ses simboles en médecine traditionnelle chinoise*. Albin Michel, 2002.

> los distintos tractus y al reflejo miotático, que se trasmite hasta el perineo y lo hace elevarse ligeramente hacia el interior en la cavidad abdominal.
>
> Jacques Thiébault

Sin embargo, no suele vivirse así, porque estamos en una zona muy emocional.

Y entonces, ¿qué hacemos si tenemos el diafragma bloqueado? Como ya hemos visto, activar la espiración mediante la presión de la cintura, siempre que empecemos elevando el perineo. Más adelante veremos todo el trabajo con los sonidos, que puede ayudar a percibir perfectamente esta espiración.

Al final de la espiración, hay que tomarse un tiempo para inspirar dilatando las narinas como si quisiéramos respirar de forma delicada un sutil perfume. Después, iniciar un bostezo sin abrir la boca; es decir, elevando el velo del paladar e inspirar sin esfuerzo. Ya no soy yo quien inspira, «eso» respira en mí.

¿Por qué es tan difícil respirar?

Porque tenemos que abandonar cualquier acción voluntaria y aceptar enfrentarnos a nuestros cierres de ese momento. A veces respiramos bien, a veces respiramos mal, y no siempre sabemos por qué.

> El diafragma es un órgano que controla, doma y comprime la cólera. Los griegos, en la época de Homero, lo celebraban como la manifestación de la vida.*

El diafragma craneal

El diafragma craneal cierra el cráneo y, al mismo tiempo, se abre hacia las alturas.

Me resulta complicado hablar de este diafragma, porque sólo sé hasta qué punto está vinculado a los otros dos diafragmas.

La postura invertida nos pone directamente en contacto con este diafragma, aunque si no respetamos la verticalidad, si los volúmenes no están bien ajustados los unos sobre los otros o si no tenemos buenos apoyos (por ejemplo, hacer el gesto de separar los codos para apoyarnos mejor en el suelo), aparecen las tensiones en la nuca.

---

* Boris J. Dolto: *Le Corps entre les mains*, Hermann, 1976. (Trad. cast.: *La cinesiterapia práctica*, Barcelona, Paidotribo, 1995).

La postura de la verticalidad nos devuelve al centro, nos vuelve a poner los pies en la tierra y la cabeza sobre los hombros.

Los sonidos y la respiración

Para terminar este apartado, voy a regresar a Jacques Thiébault, que creo que es un pionero en este terreno y que ha sabido utilizar todos estos conocimientos en el yoga. Esto es lo que dice:

> En el camino hacia el perineo hay que superar muchos obstáculos. Al principio, no hay que desanimarse si la zona perineal no se deja «tocar» con facilidad o de entrada. Hay que aprender a discernir las respuestas que nos da: la rigidez alrededor del esfínter anal, por ejemplo, no se corresponde con lo que se ha pedido; se trata de movilizar los fascículos coccígeos y, después, los puborrectales (cambiando de punto fijo), aunque no en la dirección de cerrar, sino para conseguir elevar el conjunto del suelo pélvico hacia el interior de la cavidad abdominal. A continuación, hay que relajar el perineo, poder hacerlo y sentirlo. Proponemos el trabajo de movilización activa del perineo al principio de la espiración, mientras que la relajación interviene de forma progresiva durante la inspiración. No obstante, puede ser interesante practicar la movilización activa del perineo durante la inspiración con el objetivo de interceptar, cuando sea necesario, todo un juego de sinergias entre los músculos perineales y abdominales.
>
> El gesto durante la espiración también presenta el interés de acabar con la idea de que respirar es inspirar o la idea de que la inspiración nos hace crecer. Esto sólo es válido para las personas que se encogen al espirar. De hecho, únicamente la columna lumbar se estira al inspirar, mientras que la columna dorsal crece al espirar.
>
> La espiración empieza cuando elevamos el perineo, continúa por el cierre circular y ascendiente de los abdominales (trasversales y oblicuos), sigue con el cierre circular y ascendente de las costillas bajas y termina con el descenso del esternón (por retropulsión) y de la región infraclavicular. La inspiración se realiza mediante una relajación progresiva y delicada de los músculos movilizados, y mediante la entrada en acción de los músculos torácicos inspiradores.

Para trabajar esta espiración, Jacques Thiébault nos proponía entrar en el registro de los sonidos como medio para sentir mejor la realidad interior y, al mismo tiempo, exteriorizarla.

Durante la espiración cantada, basta pronunciar los sonidos correspondientes del bijamantra de los chacras de la tradición del yoga (la localización en el cuerpo corresponde a los distintos niveles de la cintura que participen).

Así llegamos a realizar una espiración como acabamos de describir y cantada, donde cada fonema sucede de forma fluida al anterior a medida que van participando los distintos niveles de cintura. Así, por ejemplo, hablamos de una espiración de «lam» a «aum» de forma continua, armoniosa y colocando cada fonema al nivel que nos corresponde en el cuerpo.

La siguiente tabla explica el desarrollo de estas espiraciones.

Los dos últimos fonemas («aïm» y «aum») vibran en la cabeza. No corresponden a una presión de cintura, pero son sostenidos y es como si el conjunto de cinturas que quieren cerrarse los llevaran. «Aum» es el final de la espiración realizada de esta forma y cantada.

BIJAMANTRA	NIVEL DE CINTURA
Lam	Periné (inicia el ascenso del diafragma pélvico)
Vam	Cintura baja
Ram	Cintura normal (el vientre se contrae y toda la cintura se cierra)
Djiam	Cintura alta (las costillas bajas y medias se cierran)
Ham	El esternón y las costillas altas descienden
Aïm	Nivel de la cabeza
Aum	Parte alta de la cabeza

Los dos últimos sonidos, «aïm» y «aum», suelen reducirse a un único «aum», pero pronunciarlos los dos permite sentirlos mejor en el interior de la cavidad bucal.

Esta tabla está tomada de una tesina de Évelyne Defernez (alumna de Jacques) sobre el trabajo de Jacques Thiébault.

Puedo constatar, aparte de todo el interés que presenta el trabajo sobre los sonidos a nivel de la tradición, hasta qué punto este trabajo activo sobre la espiración puede ayudar a la respiración, a superar una situación de bloqueo respiratorio, siempre que no nos encerremos en un sistema, en un camino, pues aquí se trata, sobre todo, de un camino de «reeducación».

De hecho, esta espiración «voluntaria» de inicio debe regresar a su sitio en un movimiento más pasivo, más lento, para que la inspiración también pueda expresarse de forma plena y volver a entrar en el juego sutil de la inspiración, de la espiración y de la retención de la respiración, que estudiaremos a través del trabajo de pranayama.

Sin embargo, antes de eso, regresemos a nuestro trabajo en el semicírculo. Abramos las axilas estirando los brazos (las alas de los pulmones) y tomémonos el tiempo necesario para escuchar la respiración en todos los volúmenes.

Estiramiento de brazos: sentir la respiración debajo de las axilas

Agarrar un bastón de un metro de largo con las manos e, imaginando que es elástico, intentamos estirarlo para abrir los hombros. Dibujar un arco entre los brazos siguiendo la dinámica de la rotación externa de brazos.

Visualizar los pulmones bajo las axilas y sentir cómo la respiración va ocupando todo ese espacio.

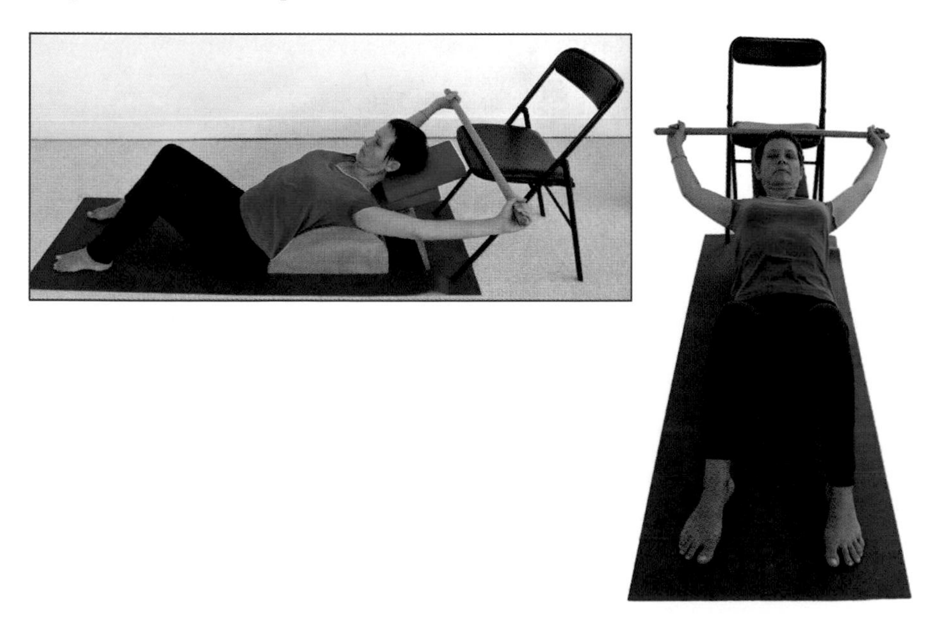

Estiramiento de la región dorsal y respiración

Colocar las manos sobre una zona u otra no sólo implica una consciencia distinta de todas las zonas sino que, además, puede modificar la respiración.

Hay que tener cuidado de no colocar las manos encima del abdomen, sino siempre a los lados, para evitar hinchar el vientre.

Y podemos iniciar el pranayama.

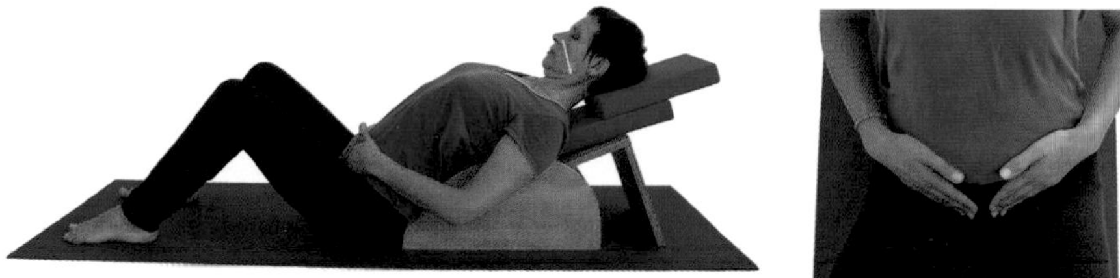

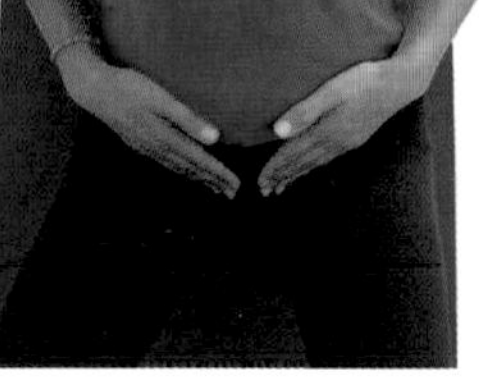

Manos sobre el bajo vientre

Manos sobre las costillas bajas

Manos debajo de las clavículas

El pranayama

¿Qué es?

Muy brevemente, BKS Iyengar nos dice que:

> El pranayama es el puente que une lo físico y lo espiritual.
>
> El pranayama es el eje principal del yoga.
>
> Con la práctica del pranayama, alargamos considerablemente la respiración.
>
> El pranayama es un arte y tiene técnicas propias que permiten que los órganos respiratorios se muevan y se dilaten de forma voluntaria, rítmica e intensiva.

El pranayama es una investigación totalmente aparte. Decido enseñarlo únicamente después de todo el trabajo postural y de colocación de la respiración que hemos visto hasta ahora.

No voy a detenerme en el pranayama en general, pero sí que voy a hablar de determinadas técnicas necesarias para el pranayama que dependen de un trabajo de alta precisión y que ponen en acción todos los diafragmas y, sobre todo, el diafragma pélvico. Tenemos que conocer todas estas técnicas antes de empezar a practicar el pranayama.

Los bandhas

Según BKS Iyengar:

> Sin los bandhas, la práctica del pranayama perturba la circulación del prana y perjudica al sistema nervioso.
>
> *Bandha* quiere decir «cadena», «ligadura», «aprisionamiento» o «captura». Y también es el nombre que se da a las posturas en las que determinados órganos o partes del cuerpo se cierran, se contraen o se controlan.
>
> Cuando producimos electricidad es necesario tener trasformadores, conductores, fusibles, interruptores y cables aislados para trasportar la corriente hasta su destino porque, si no, la electricidad que hemos producido sería mortal. Cuando practica el pranayama, un yogui hace circular el prana por todo su cuerpo, y también tiene que utilizar los bandhas para evitar que la energía se disperse y poder trasportarla donde sea sin dañar nada.

Entre los numerosos mudras y bandhas mencionados en los textos de hatha yoga, el jalandhara, el uddiyana y el mula bandha son esenciales para el pranayama. «Facilitan la distribución de la energía y evitan que se desperdicie a través de la hiperventilación del cuerpo».

Mula bandha

Mula significa «raíz», «fuente», origen» o «causa», «base» o «fundamento».

Durante años, he oído que el mula bandha era un cierre del ano. Ahora sabemos que participa todo el suelo pélvico. No voy a repetir el mismo trabajo; prefiero hacer una pequeña síntesis para recordarlo en conjunto después de haber trabajado cada parte del suelo pélvico de forma independiente.

Nos sentamos encima de una pelota poco hinchada para percibir mejor el contacto de toda la superficie del suelo pélvico. Para ello, tenemos que atrapar los isquiones con los dedos y separarlos en oblicuo.

El ano está completamente descomprimido y podemos localizar el núcleo fibroso central del perineo entre el pubis y el coxis y entre los dos isquiones.

Inspiramos contra resistencia, sin hinchar el vientre, pero dejamos que el movimiento llegue hasta el fondo de la pelvis.

Los músculos de la pelvis ejercerán un movimiento de ventosa, irán hacia el interior y sostendrán la espiración.

Uddiyana bandha

Pensemos en una ola que nacería más allá del fondo de la pelvis y que invadiría todo el abdomen antes de volver a marcharse lentamente y sin esfuerzo.

Van Lysebeth nos habla del gran vuelo pero, antes de eso, tenemos que abrir nuestros espacios interiores y sentir el movimiento de vaivén de la inspiración y la espiración.

Se vive principalmente en el abdomen y, aunque la caja torácica también se vea afectada por el movimiento del diafragma y de las costillas, debe participar lo menos posible y permanecer en su espacio aéreo por encima del cambio profundo que se está produciendo debajo de ella.

Igual que en el mula bandha (contracción del perineo), antes de visualizar el uddiyana bandha, debemos contactar con el abdomen y observamos que viene desde el fondo de la pelvis. ¿Acaso el suelo pélvico no es la base del abdomen? A continuación, veremos la tapa del abdomen, que es el diafragma y, a los lados, los abdominales profundos.

Todo sucederá en este espacio e, igual que con el suelo pélvico, vamos a tener que liberarlo y aprender a vivir ahí dentro.

Evitemos recargarlo y pensemos que las vísceras también se apoyan en la espalda.

Por delante tenemos los grandes rectos, que serían como una gran cremallera que tenemos que mantener cerrada durante la inspiración, al mismo tiempo que abrimos la espalda.

Visualicemos una tienda de campaña y pensemos que el fondo de la tienda es el suelo pélvico y los grandes rectos serían la cremallera. Si queremos cerrar la cremallera sin forzarla, tenemos que alargar la tela de ambos lados y echar los extremos hacia delante.

Mantenemos la banda abdominal fija durante toda la inspiración; es lo que denominamos respirar contra resistencia, y abrimos la espalda para que las vísceras puedan colocarse en la parte posterior, al fondo del abdomen, y así evitaremos el peso de dichas vísceras, que a menudo descienden hasta el fondo de la pelvis.

No se trata de no respirar en el abdomen, sino de considerar que el abdomen es un volumen, y eso lo cambia todo. Y sucede de forma automática si no buscamos tomar aire sino respirar un sutil perfume. Esta inspiración también llegará al fondo de la pelvis, aunque será como una ligera caricia.

En cuanto a la espiración, visualicemos la misma tienda y pensemos que no queremos deformarla. Eso implica todo el perímetro de la tienda. El suelo pélvico es el sostén de la espiración.

¿Cómo podemos abrir la espalda?

Nos tendemos sobre la espalda y colocamos dos pelotas blandas debajo de los riñones, para respirar de forma más larga en las cavidades renales y sentir el movimiento en las costillas bajas.

En el uddiyana bandha, las vísceras ocuparán esta zona y esto evitará que el diafragma ascienda demasiado y perturbe la garganta. No debemos sentir nada a la altura de la garganta.

Todo parece preparado para vivirlo de la forma más serena posible, de modo que ahora podemos intentarlo. Y digo intentarlo, porque habrá muchas dudas.

Normalmente, se realiza como vamos a describir a continuación.

- De pie en la verticalidad.
- Separar las piernas unos 30 cm.
- Inclinarse ligeramente hacia delante, sin hundir la caja torácica, doblar las rodillas y mantener la espalda neutra. A continuación, colocar las manos en los muslos con los dedos separados.
- Doblar ligeramente los codos para no elevar los hombros y enrollar las cervicales (como veremos en seguida en el jalandhara bandha).

El uddiyana bandha se ejecuta en cinco pasos:

- Inspirar contra resistencia manteniendo la cremallera, con la espalda neutra (con curvatura fisiológica). Se produce la ventosa del suelo pélvico.
- Espirar profundamente dejando que la única zona que reaccione sea el coxis.
- Acompañar el ascenso del perineo, abrir las costillas bajas sin tomar aire, y eso crea una depresión que aspira el vientre hacia las lumbares y los riñones, e implica a la pelvis como la postura del gato con la espalda redondeada, aunque sin apretar las nalgas. Lo llamamos una falsa inspiración.
- Relajar el vientre.
- Permitir la inspiración.

También es muy interesante intentarlo manteniendo la espalda neutra sin enrollar las cervicales, aunque esto requiera ir a buscar todavía más lejos y podemos disociar aún mejor los intestinos y las vísceras de la pelvis menor.

Si el trabajo es correcto, no se producirá ninguna irritación de la garganta ni ninguna perturbación del ritmo cardíaco.

Al principio, podemos visualizarlo tendidos sobre la espalda, con las piernas dobladas para liberar los psoas y la mitad del sacro bien apoyado en el suelo, con la espalda neutra.

Después, lo podemos realizar a cuatro patas con la pelvis en movimiento.

Terminaré con el jalandhara bandha que es, para mí, el más difícil porque se sitúa en las alturas, y todo lo que vive en la parte de arriba del cuerpo depende de lo que se vive en la parte de abajo.

Jalandhara bandha

¿Por qué hablar del jalandhara bandha? ¿Qué relación tienen la posición de la nuca y la garganta con el suelo pélvico?

En *Le Monde du yoga*, Nils Daum, que se interesó mucho por la voz, establece un vínculo entre estas dos zonas hablando de la columna de aire.

Nos dice que «el diafragma pélvico participa en la respiración como si estuviera en la base de la columna de aire. La columna de aire nace en el perineo y llega hasta lo más alto de la cabeza. No se trata de aire, sino de la energía que posibilita la fonación. Por lo tanto, esa energía nace del perineo, sigue una línea vertical, actúa sobre el diafragma, propulsa la respiración a partir de los pulmones y se hace sonora cuando entra en contacto con las cuerdas vocales. La caja torácica es la primera "caja de resonancia" del cuerpo, y a pesar de que está situada por debajo de la fuente sonora, amplifica las vibraciones sonoras de la voz, y después lo hacen las tres etapas de la cabeza: la cavidad bucal, la cavidad nasal y el cráneo».

Decir que la columna de aire nace del perineo es ampliar el campo respiratorio y nos permite ir más allá en la exploración.

Y si vamos más lejos y sucumbimos a la curiosidad de observar la anatomía de las cuerdas vocales, ¿no vemos un sexo femenino?

Yva Barthélémy, música y cantante que se interesó por la reeducación de la voz después de haberla perdido, nos dice:

> La garganta es un lugar de dulzura y ternura. Evoca, al mismo tiempo, la alimentación, la oralidad y la fecundidad, pero también la emoción, la afectividad, los problemas y la seducción. En la boca, elemento femenino, la lengua puede aparecer como la parte masculina. Sacar la lengua es un gesto mal visto desde la infancia. Estas partes del cuerpo son tabú. Se cierran, no se abren; se tensan, se encogen.

¿No podríamos decir lo mismo del sexo?

Así pues, tenemos muy buenos motivos para interesarnos por la garganta.

Jala significa «red», «trama» o «red de mallas».

Van Lysebeth añade:

> Desde la óptica del pranayama, el jalandhara bandha es, probablemente, el bandha más importante porque acompaña de forma obligatoria cualquier reacción un poco prolongada de la respiración.
>
> Las retenciones prolongadas de la respiración implican un aumento de la tensión arterial y una aceleración de las pulsaciones cardíacas que pueden acabar provocando palpitaciones. Así pues, la misión del jalandhara bandha es proteger el corazón y el sistema vascular de los efectos nocivos de las retenciones prolongadas de la respiración.
>
> El jalandhara permite percibir la circulación del prana y relaja la mente.
>
> Gracias al jalandhara, el estiramiento cervical libera los nervios craneales y actúa sobre el bulbo cefalorraquídeo, que incluye los centros respiratorios y cardíacos, y los centros que controlan la vasomotricidad y determinados metabolismos esenciales.

Cuando el mentón está correctamente situado encima del esternón, percibimos un estiramiento neto de la nuca que abre los senos paranasales.

El jalandhara bandha es muy difícil de ejecutar sin cerrar la garganta ni hundir la caja torácica.

El peso ya no supone una amenaza, sino el hundimiento, porque el conjunto de todo el cuerpo tiene que sostener a la nuca.

Los músculos de la nuca son los de la inspiración y parece que controlen la caja, pero si los abdominales están constantemente tirando la caja hacia abajo, la nuca se verá impotente y cederá o se tensará.

Así pues, no se puede ejecutar el jalandhara bandha sin todo el trabajo postural que permitirá que la caja torácica encuentre su volumen y que la nuca se estire.

Tengamos en cuenta que el trabajo se ha realizado para poder abordar este bandha.

Pero, ¿no habría que realizar el jalandhara bandha antes de empezar cualquier trabajo respiratorio para evitar sobrecargar el cerebro?

Si es para hundir la caja torácica, ¿para qué? Tensaremos tanto los pulmones y el corazón que se fatigarán inútilmente.

Hablemos ante todo de un retroceso del cuello. Es un buen inicio y todos los músculos del cuello sostendrán la caja torácica.

Las posturas invertidas, como la vela (sarvangasana) o el arado (halasana), pueden ayudarnos con el jalandhara bandha, siempre que las ejecutemos con protección y cinchas, como hemos dicho con anterioridad.

También podemos abordar estas posturas colocando pelotas de espuma sobre los fascículos de los trapecios de cada lado de la nuca para proteger la zona, pero suele ser muy doloroso y hay que hacerlo de forma muy progresiva. Para hacerlo, empezaremos la postura de la vela colocando los pies sobre el borde de la silla y nos detendremos ahí. La nuca es libre y sentimos el estiramiento de la nuca como en el jalandhara.

Existen otros ejercicios para estirar la nuca y preparar este trabajo:

Tenderse sobre una pelota pequeña, colocada entre los omóplatos, y situar un calce debajo de la cabeza para estirar las dorsales sin dañar las cervicales (figs. 1 y 2). Cuidado de no proyectar las costillas bajas (fig. 3).

Tomarse el tiempo necesario para sentir la respiración.

Impregnar una toalla con un olor agradable (menta, rosa, etc.) y olerlo.

Si nos conformamos con oler sin querer tomar aire, la caja torácica se abre de forma inmediata.

Colocar las manos encima de las costillas bajas, a los lados, para sentir cómo se abre la zona de los riñones (fig. 4), y después colocarlas debajo de las clavículas para percibir el movimiento de la respiración en la parte alta de los pulmones (fig. 5).

Para los más avanzados, pueden conseguir los mismos objetivos encima del semicírculo.

En la postura incorporada (sentados), hablamos de elevar el esternón hacia el mentón en lugar de descender el mentón hacia el esternón.

No hay que cerrar la garganta ni estirar en exceso los músculos del cuello. Tampoco hay que forzar para avanzar o inclinar el cuello, ni crear tensiones en la nuca.

El centro de la cabeza y el mentón tienen que estar en el mismo eje que el centro del esternón, el ombligo y el perineo.

Relajar las sienes y mantener los ojos y los oídos pasivos.

Ahora dejamos los bandhas y continuamos nuestra investigación con el kapalabhati, que es un poderoso ejercicio para reforzar los abdominales profundos.

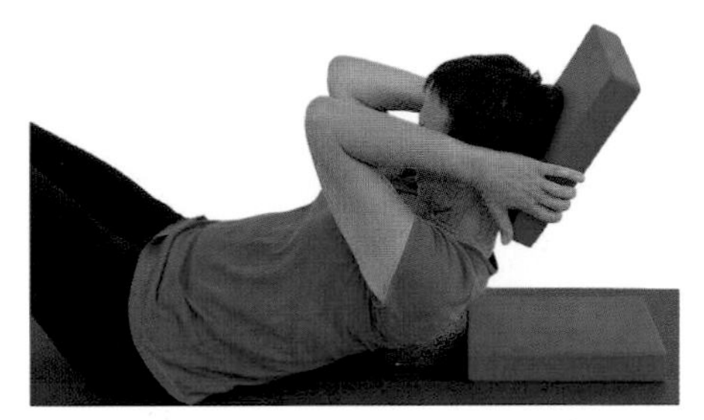

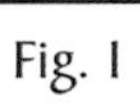

Fig. 1

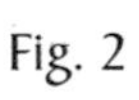

Fig. 2

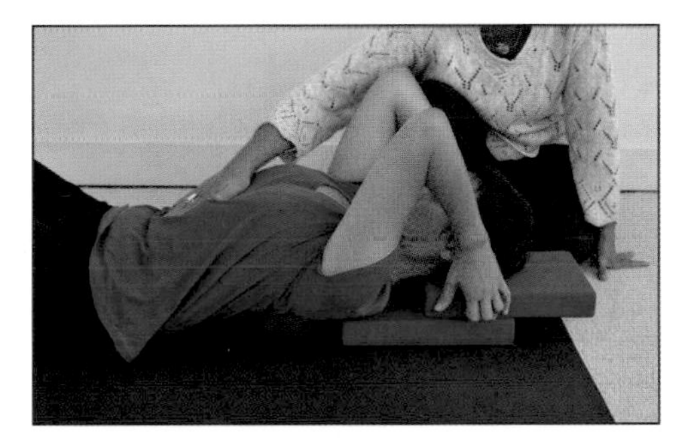

Fig. 3

Fig. 4

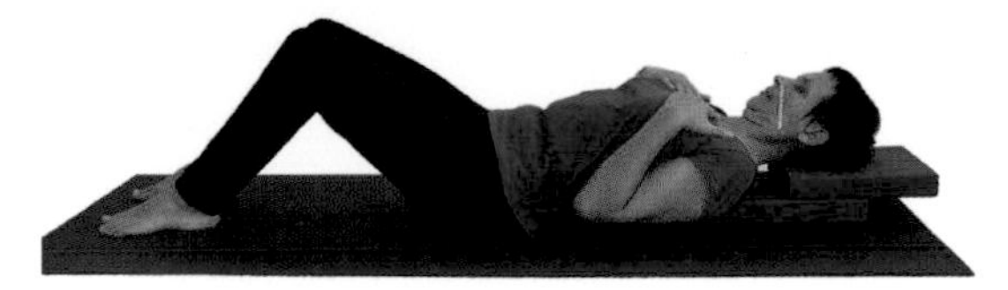

Fig. 5

Kapalabhati

Kapalabhati significa «limpieza del cráneo». Y, en este caso, «cráneo» designa los conductos de aire de la cabeza: las narinas, los cornetes de la nariz y otras vías de aire hasta el cavum que el ejercicio pretende limpiar.

También supone una limpieza total de los pulmones.

Actúa como un tónico cerebral puro y único.

André Van Lysebeth nos recuerda que, cuando se practica este ejercicio de forma intensiva, el mula bandha (elevación del perineo) se instala automáticamente, incluso sin querer. En este caso, el ejercicio es correcto.

Sin embargo, como decía Jacques Thiébault, no siempre se hace lo que se debería hacer, de modo que es mejor conocer el mula bandha para actuar de forma voluntaria en el caso de que no se instale de forma automática.

BKS Iyengar incluso llega a prohibir que las mujeres lo realicen para evitar los descendimientos de órganos.

Yo opino que es mejor saber cómo realizarlo de forma correcta que prohibirlo, porque nosotros lo utilizamos de forma regular en nuestra vida cotidiana y es un buen medio para trabajar la banda abdominal.

¿Acaso estornudar, toser, sonarse la nariz o reír no son una forma de kapalabhati?

Hemos visto con anterioridad que todas estas funciones requieren un gran conocimiento del mula bandha para sostener las vísceras del abdomen. Es necesario tener una buena banda abdominal aparte de una buena descompresión.

También tenemos que saber abrir las costillas bajas, y mantenerlas abiertas durante todo el trabajo. Para ello, puede resultar interesante colocar una cincha bastante tensa debajo de los pechos y tratar de mantenerla tensa durante todo el trabajo.

Ya estamos preparados para realizar el kapalabhati según lo explica Martine Le Chenic:

- inspirar contra resistencia para alargar las costillas bajas y elevar el suelo pélvico;
- mantener las costillas bajas abiertas durante todo el trabajo;
- fuerte espiración y repetida en el bajo vientre, debajo del ombligo;

- al final del kapalabhati, realizar una larga inspiración seguida de una descompresión;
- espiración normal.

Sería una lástima privar a las mujeres de este ejercicio, porque va muy bien para reforzar los abdominales profundos siempre que el movimiento empiece en el perineo.

Las mujeres, igual que los hombres, tienen que superar muchos obstáculos, pero para las mujeres, esos obstáculos marcan el ritmo de sus vidas y son como ritos de paso que pueden convertirse en ritos de iniciación si ellas los viven con plena conciencia. A continuación, hablaremos de todos esos pasos.

Segunda parte

Un camino de iniciación

Etapas de la vida de una mujer

Reflexión sobre la vida de la mujer

Escribí este texto como introducción de un curso, «Yoga en femenino», que organizo cada año y que agrupa a una veintena de mujeres de todas las edades. Ese curso se ha convertido en este artículo.

En el mundo occidental, cada vez más se cree que el envejecimiento es una degradación y, como rechazamos esta idea, confiamos en la medicina para evitar envejecer demasiado, sufrir demasiado, y tenemos que pasar por distintas etapas.

Las etapas de la vida de una mujer se convierten en la píldora desde los catorce años, por los problemas de las menstruaciones dolorosas, y que durará varios años como anticonceptivo. Cuando la mujer quiere tener un hijo y no se queda embarazada en seguida recurre a la fecundación in vitro, porque no tener hijos provoca un sufrimiento demasiado grande.

Cuando la mujer se queda embarazada, la someten a un estricto seguimiento médico, le hacen muchas ecografías y, si es necesario, los médicos no dudan en recomendarle que guarde reposo en la cama buena parte del embarazo. A la hora del parto, ningún problema. Existe la epidural y, si no dura lo suficiente, se acelera el proceso.

Cuando la mujer tiene a su bebé, es normal que se deprima, aunque siempre puede recurrir a los antidepresivos, que la aliviarán, puesto que se sentirá muy frágil.

Y luego llega el momento de la menopausia. La mujer que ha tomado la píldora gran parte de su vida para no tener hijos no soporta la idea de que la menstruación desaparezca. Y se deprimirá de forma forzosa. Después vienen los sofocos, el perineo se hunde, ella engorda diez kilos, sufre sequedad vaginal y su marido la deja. Sin mencionar la osteoporosis que se perfila, los fibromas del útero, el cáncer de mama, los problemas de tiroides que hacen que esté de mal humor todo el día, etc.

Para evitar todo eso, la medicina acude a auxiliarla y le da nuevas hormonas para retardar el envejecimiento.

Con el perineo no se puede hacer gran cosa; un poco de reeducación y, si no funciona, discretas compresas.

Para los fibromas, es mejor quitar el útero porque, en definitiva, a esta edad, ya no lo necesita. Y con los pechos sucede lo mismo. Y en cuanto a la tiroides, es posible seguir como si nada con medicamentos durante el resto de su vida.

Para la osteoporosis, le recomiendan que tome calcio, muchos productos lácteos, queso... En resumen, todo lo que puede provocar alergias y engordar (aunque esto nadie se lo dice) y, si la mujer lo vive mal, le dicen que come demasiado y que tiene que hacer dieta y ejercicio.

En cuanto a la sequedad vaginal, basta con utilizar un lubricante.

Y ya tenemos a la mujer reducida a una serie de problemas y soluciones. Ser mujer conlleva ciertas preocupaciones y, personalmente, no se lo deseo a nadie.

¿Qué hacemos? ¿Lo aceptamos todo y nos resignamos? ¿Lo rechazamos todo y vemos qué nos ha reservado la vida?

No tenemos que elegir entre una opción u otra, porque existe una tercera opción, que es un nuevo enfoque sobre las etapas que nos toca vivir, porque ser mujer es una oportunidad que ofrece muchas ocasiones para interrogarnos a nosotras mismas, y ya desde jóvenes.

Los hombres también tienen sus problemas y, para algunos, también aparecen muy temprano. Pero la mayor parte de los hombres van por la vida sin enfrentarse a una toma de conciencia real y, mientras todo funcione y el cuerpo aguante, siguen viviendo sin hacerse demasiadas preguntas.

Para nosotras, las preguntas aparecen ya desde muy jóvenes, como ya hemos dicho, y tendremos que revivirlas ante cada nuevo acontecimiento que nos tocará vivir.

Y algunas de nosotras vemos que algo no va bien y quizá tenemos ganas de vivir con una mayor conciencia.

Para mí, envejecer es acumular experiencias, quemar etapas, engordar en «sabiduría», en serenidad, trabajar sobre mis miedos y liberarme de las preocupaciones. Es un programa mucho más divertido.

Hace ya un tiempo que me hago preguntas acerca del envejecimiento, porque empecé a sentir que envejecía muy joven y no me resignaba a la idea de que cada vez sería peor. Quizá fue esta toma de conciencia precoz la que me llevó a buscar nuevos recursos en mi interior.

Y, sobre todo, lo que me ayudó y me sigue ayudando en mi día a día es practicar yoga. Cada día siento en el cuerpo nuevas habilidades que todavía no había explorado y me digo que no se acabarán nunca. Entonces, ¿puedo evitar el envejecimiento?

Me debo, sobre todo, a no abandonar mi cuerpo, a seguir despertándolo, igual que a mi espíritu. Envejecer no es algo propio del futuro, sino del presente. Mañana seré lo que soy hoy. Y entonces, ¿por qué preocuparnos por el mañana? La dinámica del instante presente me invita, cada día, a «trabajar» en todo lo que me llena la memoria, en lo que me han trasmitido. Tengo que cambiar el curso de las cosas y, para ello, aceptar sin juzgar todo lo que se me presenta.

Annick de Souzenelle dice que el sufrimiento no es ontológico, sólo lo es la prueba. Así pues, debo trasformar el sufrimiento en una prueba que hay que vivir, y eso lo cambia todo.

Ya no me siento víctima de lo que me pasa, sino actor de una dinámica nueva, de un regreso, de un nuevo nacimiento. El bebé, antes de nacer, debe darse la vuelta y aceptar que primero tiene que sacar la cabeza. Yo debo darme la vuelta constantemente y aceptar que primero tengo que sacar la cabeza y tener confianza. Si el peligro es demasiado grande, y a diferencia del bebé, que puede decidir presentarse de nalgas, puedo esperar y no dejarme llevar por los miedos del momento.

El parto, que es una etapa tan importante en la vida de una mujer, nos acerca a todo lo que necesitamos para parirnos a nosotras mismas. ¿Y de verdad que querríamos entregarnos a la medicina para evitar esta gran prueba iniciática?

Y esto es lo que revivimos en cada etapa nueva. Lo que no hemos trabajado vuelve y siempre hay que abordarlo de forma más urgente.

Cuando la vida no ha sido más que obligaciones, deberes y resignaciones, todo seguirá como antes. Vivimos sin pausa con nuevas obligaciones, como si fuera la única forma de existir, y eso pesa mucho en el fondo de cada uno.

En el momento de la menopausia, si no he empezado el trabajo de «limpieza», todo ese peso se expresa en mi cuerpo. El cuerpo me suelta, se vuelve pesado, cargado de toda esta historia, el suelo pélvico ya no responde, el vientre se vuelve flácido, nos invaden sofocos de angustia y la enfermedad se convierte en nuestra compañera de viaje.

La menopausia no es esa aterradora degradación. Si no, ¿por qué en la medicina china se la conoce como «la nueva primavera»? No somos más que brotes y la naturaleza llama a las flores para que nazcan y se abran. Es el inicio de una nueva era y debemos recibir con alegría este período que nos guía hacia una mayor «espiritualidad», una mayor profundidad.

Cada nueva etapa es una pequeña muerte de la vida anterior para encaminarnos hacia una nueva vida. Françoise Dolto nos habla de la muerte en estos términos; cualquiera diría que no tenía miedo ante el final de la vida. Todavía me queda un camino que recorrer pero siento que avanzo hacia una mayor serenidad.

Lo que me asusta es lo que me asustaba en cada nueva etapa. Es el miedo a la novedad. El miedo de lanzarme a la vida con la cabeza por delante sin saber dónde me llevará. Todos hemos vivido la etapa de la muerte en nuestro nacimiento; todos hemos pasado por esa experiencia, pero la hemos olvidado.

Tenemos que recordar nuestro nacimiento y seguir confiando, aunque con plena conciencia, sin olvidar el trabajo que acompaña a todas estas experiencias.

Las mujeres y sus menstruaciones

En el libro *Les Reflets de la lune sur l'eau*, Ziaolan Shao nos recuerda que las menstruaciones reciben el nombre de «agua celeste» y que (cito textualmente):

> Cualquier desequilibrio, por ejemplo dolor en los pechos, dolor de cabeza o irritabilidad durante las menstruaciones, es fuente de preocupación. Estos síntomas indican que existe algún desequilibrio en el cuerpo.
>
> A veces, a las mujeres occidentales les cuesta admitir que la relación que tienen con sus emociones, y en particular con la cólera, el resentimiento, la frustración y la irritación, puede afectar de forma directa y fuerte a sus menstruaciones.
>
> Partiendo de la base de que los problemas relacionados con las menstruaciones suelen provenir del hígado y los riñones, deberemos tomar medidas que ayuden a sostener este conjunto de órganos. En general, la mejor forma de

cuidarnos, nosotras y nuestras menstruaciones, es estar atentas a las emociones, modificar nuestra alimentación, reducir la actividad física y cambiar otros hábitos de vida. Tened presente que la descompresión es muy importante porque permite que el Qi y la Sangre circulen libremente. Así pues, todo cuidado personal deberá ser condescendiente y hay que evitar las tensiones.

¿Por qué damos tan poca importancia a estos momentos que marcan el ritmo de nuestras vidas?

Seguramente, porque es difícil crear nuevas costumbres, escucharnos de forma más sensible y reducir el ritmo vital.

Aunque claro, todo tiene que continuar como antes y es muy fácil hacer bromas sobre el mal humor de las mujeres durante la menstruación. Y cuando éstas son demasiado dolorosas, no dudamos en tomar medicamentos u hormonas.

¿Cuántas chicas van al médico por un problema con la menstruación y el profesional no duda en darle una píldora para, supuestamente, regularle la cuestión? Es mucho más fácil, más rápido y el problema parece solucionado, aunque lo único que ha desaparecido es el síntoma. Y eso sin contar lo que puede ser para una chica de catorce años tomar la píldora cuando ni siquiera está manteniendo relaciones sexuales.

El yoga puede ser un gran recurso, igual que la osteopatía y la acupuntura.

Durante los cursos de yoga suelo decir que, durante este período, tenemos que estar más atentas al cansancio y, si es necesario, aceptar que debemos bajar la intensidad de nuestro ritmo. Y nada puede igualar la descompresión del bajo vientre. También es mejor evitar las posturas invertidas para no perturbar el flujo sanguíneo.

Durante las menstruaciones, a las chicas jóvenes también les cuesta mucho realizar posturas con las piernas separadas y descomprimir el vientre.

Es aconsejable que lleven ropa cómoda y ancha para evitar que les comprima el vientre.

Trabajo propuesto

Cuando nos duele una zona en concreto, siempre solemos querer protegerla cerrándola y aislándola. Suelo ver a chicas jóvenes que, en lugar de descomprimir el bajo vientre, adoptan una actitud de réplica y cierran la zona dolorosa.

Una pelota pequeña o un pequeño rollo debajo de las lumbares serán perfectos si los dejamos allí durante un breve instante de conciencia respiratoria.

Para el bajo vientre, me viene a la cabeza la imagen de un pequeño rollo (*véase* la preparación del uddiyana bandha en el capítulo sobre la respiración).

Pensar en todo lo que pueda descomprimir el suelo pélvico: los pies paralelos, todo el trabajo de las caderas, etc.

Y, sobre todo, respirar hasta el fondo de la pelvis y aceptar la situación del momento.

Contracepción, sexualidad, esterilidad, fecundidad

Contracepción

Ya hemos introducido este tema un poco más arriba, pero esta cuestión merece una reflexión más larga.

Empecemos por el testimonio de una amiga que ha aceptado hablar de ello con mucho pudor y mucha simplicidad:

> Empecé a tomar la píldora hacia los dieciséis años debido a unos dolores menstruales muy fuertes.
>
> Y la píldora no precipitó la aparición de las relaciones sexuales, pero sí de las micosis y otras molestias. Durante mucho tiempo creí que mi sexo sólo podía ser doloroso. Y, en realidad, siempre he tenido una relación complicada con esta parte de mi cuerpo porque, aunque las relaciones que llegaron con el tiempo fueran un poco agradables, el dolor era omnipresente.
>
> Diez años después, un homeópata al que acudí para tratarme la enésima micosis me «riñó» y me dijo que si dejaba la píldora, había muchas posibilidades de que mis preocupaciones casi permanentes desaparecieran. Estuve acudiendo a distintos ginecólogos durante diez años y nunca nadie me comentó nada parecido. Hoy día me parece alucinante que nadie haya enfocado el problema desde este ángulo.
>
> Si conseguí tener un hijo fue porque no fui capaz de entender el funcionamiento de mi cuerpo, ni los mensajes que enviaba, y la ginecóloga nunca supo responder a mis peticiones. Y no cambié de especialista porque es realmente difícil encontrar una nueva. Por suerte, mi vida profesional me dio acceso a de-

terminada información. Después de mi embarazo, me colocó un DIU porque, según dijo, era la mejor solución para mí. El resultado: todos los efectos secundarios, y algunos más que sólo afectan al 10 por 100 de los casos y en muy pocos casos todos a la vez. Pasó un año y mejoré, la verdad. Adiós a las micosis, adiós a la libido ausente, adiós al humor de perros. Por fin creí haber dado con la solución después de tantos años. Y fue después de un olvido cuando me di cuenta de que seguía interfiriendo demasiado en mi cuerpo. Un día, tuve unas pérdidas claras y descubrí que eran las flemas que no sacaba nunca y que mi cuerpo había reaccionado de forma distinta a lo habitual. Desde entonces, no he vuelto a usar ningún anticonceptivo hormonal. Mi segundo embarazo fue deseado y mucho mejor, y supe cuándo mi cuerpo estaba preparado.

En la actualidad, mi marido y yo utilizamos preservativo cuando es necesario y me siento realmente bien en mi cuerpo. Sin embargo, es una lástima haber esperado veinte años para poder sentir todas las cosas que normalmente se sienten desde el principio.

Para completar este cuadro de penas, me viene a la mente un recuerdo bastante doloroso.

Asistí a una conferencia sobre los ciclos de la mujer a cargo de una ginecóloga. Todo giraba en torno de las hormonas y parecía muy natural que hormonas y revisiones ginecológicas marcaran el ritmo de vida de las mujeres.

Cuando llegó el turno de preguntas, tomé la palabra e intenté comentar lo que sentía y los problemas que plantea la píldora; la mitad de las asistentes me abuchearon. ¿Cómo me atrevía a poner en duda algo que las mujeres habían conseguido mediante la lucha? Era una traidora. Me callé y, después de la conferencia, algunas mujeres se atrevieron a acercarse a mí discretamente para decirme que ellas se hacían las mismas preguntas que yo.

Yo misma tomé la píldora durante varios años y creí realmente que era lo mejor del mundo. Está claro que nunca la relacioné con mis múltiples cistitis ni con los problemas de hígado y vientre duro.

No se trata de regresar a la época de nuestras madres. Pero creo que no hemos solucionado nada en el terreno de la contracepción y que hay que seguir investigando.

Pocos ginecólogos están dispuestos a poner en duda la sacrosanta píldora y, cuando un cuerpo presenta una clara incompatibilidad, siempre están dispuestos a proponer otra con una dosis menor, es decir, menos peligrosas, aunque ése no sea el problema.

Mi amiga osteópata siempre se refiere a los «vientres de silicona» cuando habla de las mujeres hormonadas.

El profesor Joyeux, en su libro *Femmes, si vous saviez!*, pone en duda las hormonas.

Desde que abordo este tema de forma abierta, me he encontrado que cada vez hay más mujeres que se atreven a abrirse. ¿Seremos unas carrozas o unas vanguardistas?

Y cada vez conozco a más chicas jóvenes que optan por el preservativo, y no sólo por la posibilidad de contraer el sida, sino por intolerancia a la píldora. En lugar de ofendernos, ¿no deberíamos alegrarnos de ver cómo la contracepción se convierte en un asunto de la pareja y no únicamente de la mujer? ¿Por qué la seguridad social no cubre los preservativos, como hace con la píldora?

¿Por qué hablar de todo esto en este libro? Porque estamos hablando de todo lo que pasa en los «bajos fondos» de nuestra pelvis y hemos visto las incidencias que puede tener en nuestras vidas y, más concretamente, en nuestras vidas sexuales.

Sexualidad

La sexualidad no siempre se vive bien y no hemos tardado nada en «psicologizar» los problemas que puede provocar la dificultad de abrirse al otro miembro de la pareja.

Cuando una pareja tiene un problema, siempre pensamos en acudir a la consulta de un sexólogo o un terapeuta en lugar de acudir a un osteópata o un profesor de yoga.

A pesar de que la psicología es importante, no olvidemos que la sexualidad se vive, sobre todo, en el cuerpo. Una mujer puede querer profundamente a su compañero pero puede experimentar dificultades para abrirse a él, y viceversa. El hombre también tiene que abrirse, que acoger a la mujer, que descomprimir su pelvis.

Infinidad de nalgas apretadas, muslos que se tocan, caderas cerradas, perinés duros como una piedra o demasiado distendidos.

¿Cómo se puede vivir la sexualidad en un cuerpo bloqueado?

La cuestión de la sexualidad no se reduce al deseo de procrear; el sexo es un lugar de placer y, cuando se vive con dolor, altera todo nuestro ritmo vital.

A menudo, suele destapar antiguos traumatismos y aquí hago referencia al libro de Christine Schweitzer, *L'Ostéopathie intrapelvienne*.

Es un libro que aborda las cuestiones graves con una gran sensibilidad; y aquí os dejo un extracto:

> No quiero ni pensar en un instante en que un embarazo, un aborto natural, una interrupción voluntaria del embarazo, un quiste, un fibroma, un tumor, una endiometritis, una esterilidad, un abuso sexual real o vivido como tal ataque a una generación entera de forma arbitraria y fortuita, con un «mala suerte», por un juego o por una broma del destino.
>
> Cuando cualquiera de esos supuestos supone una cicatriz, un órgano, una función alterada, a veces un ser, es el momento de que nuestra generación se atreva a buscar el sentido común y lo encuentre para permitir que el síntoma se convierta en símbolo y termine su camino. Y especialmente ante síntomas recurrentes, recalcitrantes e intratables que ya no saben trasformarse ni encontrar la salida, que sobrecargan nuestra trama corporal y alteran los movimientos de los tejidos al tacto.

Y todo esto me invita a explicar la experiencia de una mujer de más de cincuenta años que asistió a mi curso «El yoga en femenino».

Obviamente, habíamos realizado un trabajo intenso alrededor del perineo y la mujer se notó muy alterada.

Recordó, de repente, una escena de violencia sexual con un médico; ella tenía dieciocho años y ya ni se acordaba.

Después del curso, esta mujer, que era un poco obesa, perdió más de diez kilos en un mes y me pidió una cita para comentármelo.

Desde entonces, casi recuperó la talla de su juventud pero, ¿cómo podía estar contenta cuando su marido se había quedado completamente afectado? La había abandonado en cuanto ella se sintió perfectamente bien en su cuerpo, y para ella supuso un gran sufrimiento.

¿Qué hay que pensar de todo esto?

Que un trabajo en profundidad no siempre acaba como desearíamos. A veces, es un camino de gran soledad. Podemos acabar poniendo en duda todas nuestras relaciones. Hay que saber dejarse ayudar. No podemos realizar el trabajo solos.

Volvamos a la mujer del ejemplo. Jamás la oí decir que añorara su vida de antes, aunque sí que le gustaría que su marido volviera con ella. En el fondo, sabe que jamás podrá volver atrás, ha hecho un análisis y, a pesar de todo, se siente viva. Demos tiempo al tiempo y confiemos en el futuro.

Todas nuestras experiencias pueden incidir en nuestra vida sexual y en la relación con el otro. No voy a extenderme más con este asunto, aunque lo mencionaré de forma constante en adelante.

Esterilidad, fecundidad

Mi esterilidad fue el detonante de mi interés por lo que pasaba en el fondo de mis entrañas. Deseaba tener un hijo y ese deseo no se hacía realidad.

Como ya he dicho, mi encuentro con Jacques Thiébault fue determinante. Su trabajo incidió justo donde hacía falta.

En seguida reparé mis tensiones, mis cerraduras, mis miedos y las violencias que me infligieron o que me infligí yo misma.

Y, paradójicamente, sentí en mí una nueva vida en una región del cuerpo que desconocía.

Y me lancé de cabeza a esa aventura que, hoy día, todavía continúa.

Al principio, investigué los libros de anatomía, pero no vi nada que me llamara la atención. O los dibujos eran repulsivos o el perineo no existía.

Después, se han hecho libros maravillosos, y pienso en el trabajo de Blandine Calais Germain, con su libro *Le Périnée féminin et l'accouchement* («El perineo femenino y el parto». Ed. La liebre de Marzo, 2012), y sus magníficas ilustraciones.

Tuve que buscar en otro sitio. Busqué en mí y, cuanto más buscaba, más me hundía en la oscuridad.

En aquella época, el deseo de tener un hijo era el motor de mi búsqueda. Quería a mi marido y quería tener un hijo con él, pero no podía y no tenía la intención de empezar quién sabe qué, y menos un proceso médico, que me habría desposeído de todo mi camino profundo.

Hay muchas mujeres que vienen a verme con estos mismos problemas, pero lo que ha cambiado es que, en la mayoría de los casos, ya han sufrido una o varias FIV (fecundación in vitro); y digo bien, «sufrido» y no «tenido» porque a veces es un auténtico trauma.

Esta experiencia, vivida como un fracaso, todavía complica más las cosas. Por lo tanto, lo primero que hago es hablarles de éxito. Éxito en el sentido en el que ya no pueden confiar en técnicas externas y en el que todo conduce a ellas mismas.

Hagámonos las siguientes preguntas:

¿Qué nos empuja a tener un hijo? ¿Cómo se vive la relación sexual con el marido o compañero? ¿Cuáles son nuestros miedos?...

En el entorno médico, pocas veces nos hacemos estas preguntas y, a veces, se ofrece tener un hijo a una mujer que, ni en su cabeza ni en su cuerpo, está preparada. Y es una catástrofe.

Recuerdo una mujer de treinta y ocho años que vino a verme después de dos FIV sin éxito. Empecé por tocarle el vientre y estaba duro como una piedra. Había tenido muchos problemas. En seguida la envié a la consulta de mi amigo el osteópata, que se alegró mucho de que las FIV no salieran bien porque opinó que un embarazo hubiera sido peligroso para ella y para el bebé, puesto que todo su cuerpo estaba muy duro. La mujer empezó un trabajo individual muy serio y, al cabo de un año, se quedó embarazada de forma natural.

También podría hablar del caso de la mujer que cito en mi libro *Yoga et enfantement* y que decidió abortar después de quedarse embarazada mediante una FIV.

En cuanto a la cuestión de la esterilidad real, ¿cuántas parejas se encierran en ese diagnóstico preciso en un momento de la vida de la mujer en el que todavía puede cambiar todo? Yo creo mucho en esos milagros que, en realidad, no lo son.

Pienso en una pareja que viene a verme con regularidad por cuestiones de esterilidad.

Al principio, vino la mujer sola después de que, tanto a ella como al marido, les diagnosticaran esterilidad.

Sobre todo, me habló de menstruaciones dolorosas y de que tomaba la píldora desde los catorce años para regular estos problemas. Su osteópata la derivó hasta mí después de dos FIV sin éxito. Ella ya no tenía fuerzas para continuar por esa vía, que la había debilitado completamente, y menos ahora que ya había iniciado otro camino.

Me encontré con una mujer muy voluntariosa, con las caderas cerradas y el vientre muy duro. En seguida le hablé del camino personal hacia una mayor conciencia de ella misma que desembocaría, o no, en la concepción de un hijo. También le propuse que viniera con su marido.

El marido vino a la segunda sesión y en seguida me centré en su pelvis cerrada. Les propuse que vinieran juntos, o cada uno por su lado, para realizar un trabajo sobre el cuerpo.

Vienen juntos y de forma regular. Me gusta mucho hacerlos trabajar porque, a pesar de que su proyecto de concebir un hijo siempre está muy presente, aceptan el trabajo que les propongo, que es algo ajeno a su proyecto.

Les propongo un trabajo global de apertura, de descompresión, de firmeza, de todo lo que nos propone el yoga. Aunque también dedicamos mucho tiempo a hablar.

El ritmo de trabajo ha cambiado desde que la mujer cree que ha podido quedarse embarazada durante unos días, porque ha sufrido un retraso muy poco habitual en ella.

Jamás sabrá si realmente ha estado embarazada, pero todo esto le ha zarandeado la mente y el cuerpo y se atreve a imaginarlo en el futuro.

Aquí entramos en una nueva dinámica.

También me acuerdo de aquella pareja a la que propuse que se marcharan de vacaciones y dejaran de focalizar todo su mundo en el deseo de tener un hijo, que arrastraban desde hacía dos años. Al cabo de poco tiempo, la mujer se quedó embarazada.

No siempre es así de milagroso pero, ¿no abre una brecha para la esperanza?

Mi trabajo con la esterilidad siempre nos lleva a otro sitio, donde menos lo esperamos. Apelamos a la creatividad, al «niño interior» del que habla Annick de Souzenelle. Ese niño que hace aumentar nuestra capacidad de abrirnos, de creer, de despertar la vida que está en nuestro interior.

Después, aunque el deseo de tener un hijo acabe por no realizarse, la pareja puede abrirse a una vida más fecunda.

Las cicatrices que dejan las interrupciones voluntarias del embarazo, los abortos naturales, los tumores, etc., son muy reales, y aunque casi siempre creemos que la mujer los ha vivido bien y ya los ha olvidado, el cuerpo está ahí para llamarnos al orden.

Dejemos aquí este asunto tan delicado del cual hablo en mi primer libro y continuemos nuestro periplo con una etapa importante para la mayoría de las mujeres, la concepción.

El embarazo

Ya he escrito sobre este período de la vida en mi libro *Yoga et enfantement*, pero voy a retomar algunos elementos que están relacionados con el tema que nos ocupa.

Lo que más preocupa a las mujeres durante el embarazo («la maduración del fruto») es perder al bebé. En esos momentos de duda, intentan retener al bebé cerrando las nalgas y, en realidad, hacen todo lo que no hay que hacer.

Y aquí es el momento de recuperar todo lo que he explicado durante el curso con el grupo de mujeres. La verticalidad, la actitud global del cuerpo, el hecho de aligerar en lugar de reforzar.

Ya hemos visto que, en la verticalidad, el secreto está en la ligereza.

Y esta ausencia de peso se aplica también a las mujeres embarazadas, y es un sueño para todas ellas, porque la tripa ejerce un gran peso hacia delante.

¿No tenemos la tentación de meter la tripa para dentro y apretar todos los músculos en lugar de preocuparnos de un conjunto en el que, quizá, nada está en su sitio?

Se trata de ser libres, no de cerrar o bloquear, de poner un candado a la vida que hierve en nuestro interior.

Las fotos van a resultar muy esclarecedoras y pedí a Fanny Loizeau, una de mis alumnas, que en el momento en que se tomaron las fotos estaba embarazada de ocho meses y medio, que siguiera una sesión bajo la atenta mirada de Annie y su cámara.

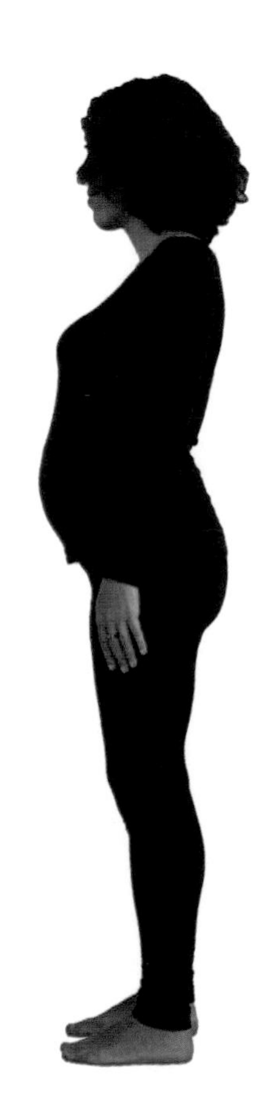

La verticalidad en la mujer embarazada

La verticalidad, a pesar de que siempre es la misma (alineación del tobillo, la rodilla, la cadera, el hombro y la oreja), hay que reajustarla en el caso de una mujer embarazada. El bebé crece, se mueve en el vientre de su madre y continuamente modifica la capacidad de su madre de permanecer estática.

A menudo, las mujeres quieren aliviar el arco de la espalda basculando la pelvis, algo que proponen algunas técnicas, pero el resultado es que bloquean el bajo vientre y la movilidad visceral. La descompresión de la espalda no se puede hacer sin respetar la verticalidad.

Siempre hablamos de ligereza, de la colocación exacta, y mucho más para la mujer embarazada.

De hecho, la mujer embarazada tiene que enfrentarse a cambios continuos en su cuerpo con exactitud y descompresión, para evitar que el peso la invada.

La manera de colocarse el bebé nos guía sobre cómo lo acoge su madre en el vientre. Podríamos decir que se comporta como las vísceras, que suele colocarse en la parte delantera porque la trasera está cerrada.

Para permitir que el bebé se sitúe sobre los costados y la parte posterior, la mujer deberá abrir la espalda y no cerrar las nalgas, y así aliviará el suelo pélvico.

Si realizamos unos malos apoyos con los pies, perturbamos toda nuestra estática. Las piernas nos tiran hacia abajo, la pelvis se da la vuelta, el peso se coloca encima del abdomen, la caja torácica se hunde, la nuca tira hacia delante y la espalda adopta una forma redonda.

Y cuando el bebé ya está bastante grande y las contracciones aparecen con regularidad, la postura ideal es la vela con el semicírculo, porque la mujer puede permanecer así mucho tiempo y concentrarse en la respiración.

Vela sobre semicírculo

La vela, que puede ser muy interesante para aliviar la pelvis menor, suele ser muy incómoda para la mujer embarazada, porque todo el peso del bebé recae sobre su estómago.

La vela sobre el semicírculo permite aliviar la pelvis menor sin esta incomodidad.

Colocar la pelvis en la parte delantera del semicírculo para no eliminar la curvatura y no desplazar peso hacia la nuca.

Dejar resbalar la espalda sin hundirse sobre las cervicales.

Estirar las piernas sobre el respaldo de la silla.

Respirar mientras elevamos y relajamos el perineo.

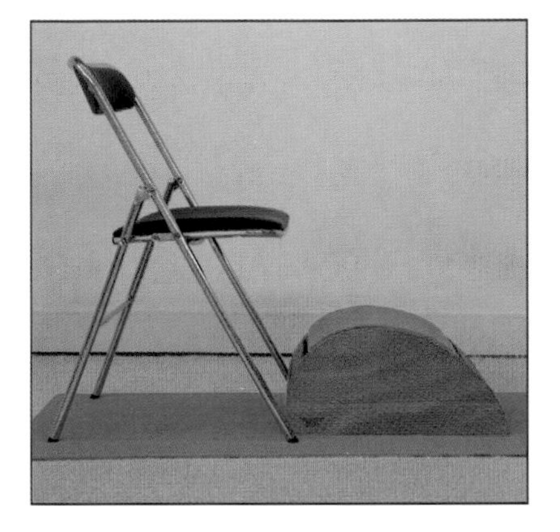

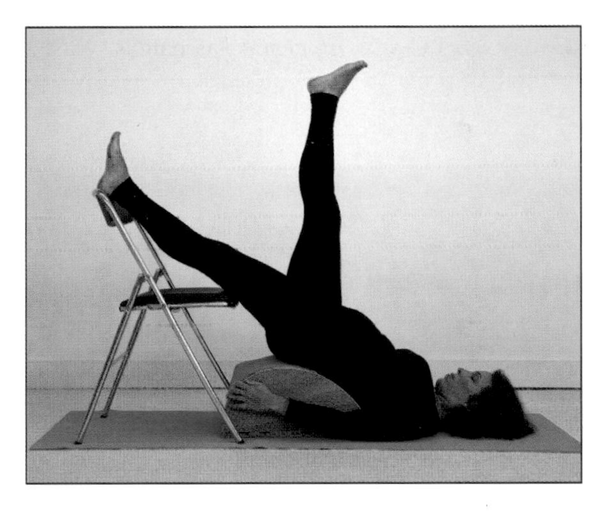

Salir de la vela

Levantar la pelvis con el apoyo de los pies y deslizar el semicírculo debajo de la silla. Bajar la espalda vértebra a vértebra (fig. 1).

Apoyar los pies en el asiento de la silla y separar las rodillas (figs. 2 y 2 bis).

Recuerdo que reformar la curvatura y aceptar la curvatura baja a la altura de las lumbares no consiste en echar el vientre hacia fuera como vemos con frecuencia, sino todo lo contrario (*véase* el capítulo sobre la curvatura).

Las vísceras se descomprimirán, se volverán a centrar y serán más ligeras.

No hay que intentar evitar que el bebé vaya hacia la espalda apretando el vientre; hay que mantener la espalda abierta sin negar la parte delantera y, sin ninguna duda, el bebé se colocará allí.

Hay determinadas posturas que son más apropiadas durante el embarazo, tanto para estirar el vientre como para aliviar el abdomen y hacer revivir la zona del bajo vientre y el perineo.

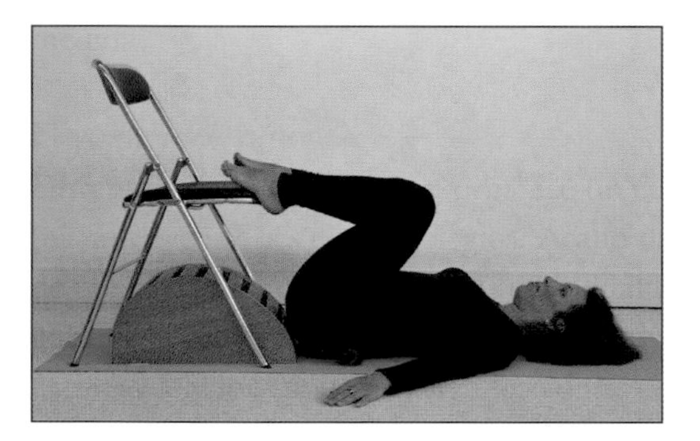

Fig. 1

Fig. 2 bis

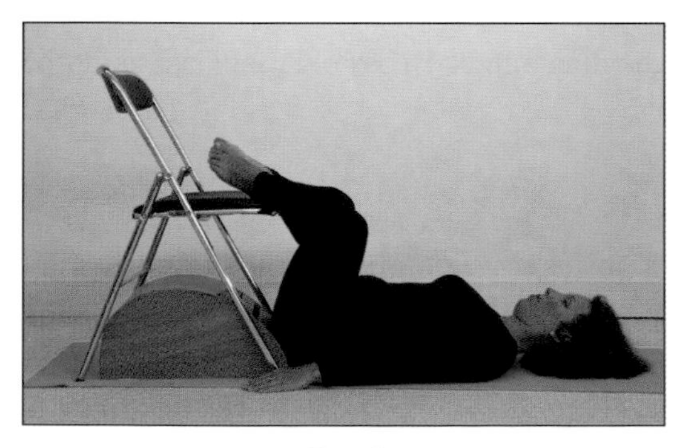

Fig. 2

Los gatos

Gato con la espalda hueca, con la espalda redondeada

Sentarse sobre los talones, con las rodillas separadas para no aplastar al bebé (fig. 1) y colocar las manos en el suelo con los brazos estirados (fig. 2).

Durante el gesto de separar las manos, avanzar las caderas hasta colocarlas encima de las rodillas con la espalda hueca. Los hombros están encima de las manos para facilitar que puedan retroceder. Cerrar las rodillas hasta el ancho de las caderas.

Iniciar el movimiento de la espalda redondeada a partir de los apoyos de las rodillas mientras las separamos ligeramente para no bloquear las nalgas o el vientre.

El coxis también se redondea y arrastra al sacro, y después vértebra a vértebra hasta la primera cervical (fig. 3).

Podemos iniciar el movimiento cuando espiramos para elevar el perineo.

La espalda hueca también nace del coxis dentro de una misma ondulación de la columna (fig. 4).

Fig. 2

Fig. 3

Fig. 1

Fig. 4

Gato que se estira

El mismo inicio que en el gato con la espalda hueca con la misma separación de extremidades que al principio.

Colocar los codos donde antes estaban las manos.

A partir del apoyo de las manos, empujar para estirar los brazos.

Descompresión del perineo, pies contra la pared

Tendida sobre la espalda y con las nalgas pegadas a la pared.

Colocar los pies paralelos, lo más separados posible, las rodillas dobladas y la espalda neutra. Tomarse el tiempo necesario para respirar en el suelo pélvico (figs. 1 y 2).

Alargar las piernas en diagonal y mantener los pies paralelos para no cerrar la zona trasera del suelo pélvico (fig. 3).

Colocar las plantas de los pies juntas abriendo las rodillas y manteniendo los isquiones bien abiertos (fig. 4).

Este trabajo es muy interesante para estirar los abductores y abrir la pelvis menor.

Fig. 1

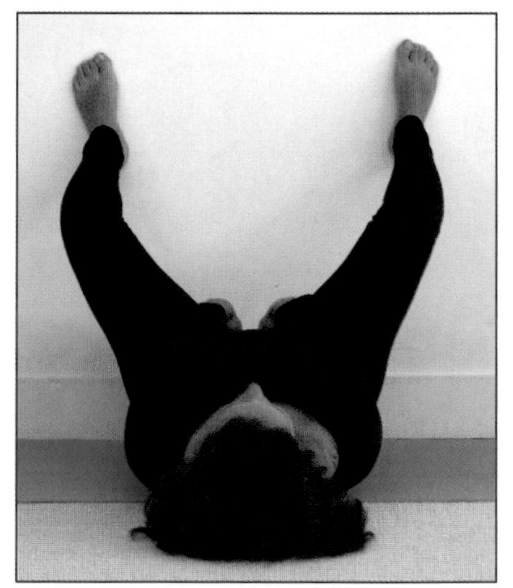

Fig. 2

Fig. 3

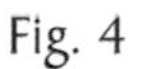

Fig. 4

Estiramiento de piernas en la pared con cojín bolster

Tenderse sobre el cojín con el sacro más bajo que las lumbares para estirar la curvatura lumbar (fig. 1).

Colocar los pies paralelos, lo más abiertos posible, con las rodillas dobladas y manteniendo la espalda neutra (fig. 2).

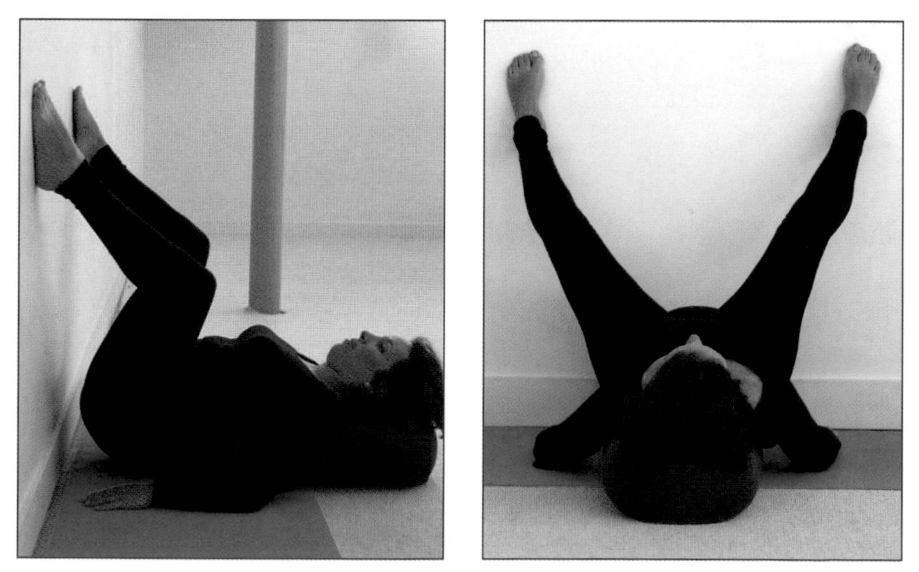

Fig. 1

Fig. 2

Tomarse el tiempo necesario para respirar en el suelo pélvico.

Estirar la parte trasera de las piernas con una cincha manteniendo los pies paralelos para no cerrar la parte posterior del suelo pélvico (figs. 3 y 4).

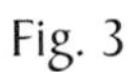

Fig. 3

Fig. 4

Ponerse de cuclillas sobre el semicírculo

Las cuclillas son la postura ideal para abrir completamente la zona de la pelvis menor y permitir el paso del bebé.

Sentarse sobre el semicírculo con los pies paralelos. Colocar las manos encima del asiento de una silla para estirar la espalda (fig. 1).

Por desgracia, pocas mujeres lo consiguen sin hundir la espalda y sin perturbar el apoyo de los pies (fig. 2).

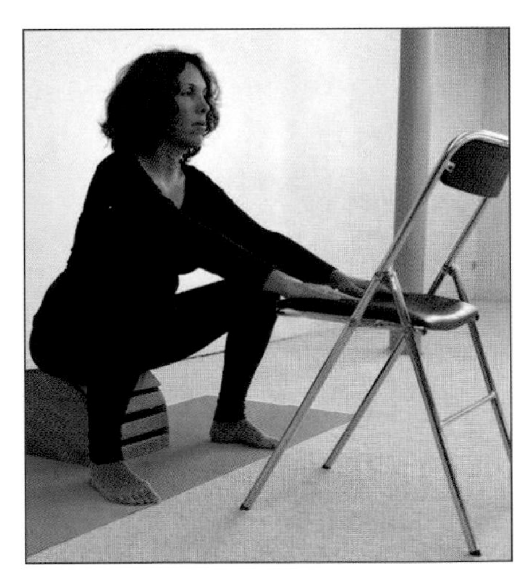

Fig. 1

Posición incorrecta

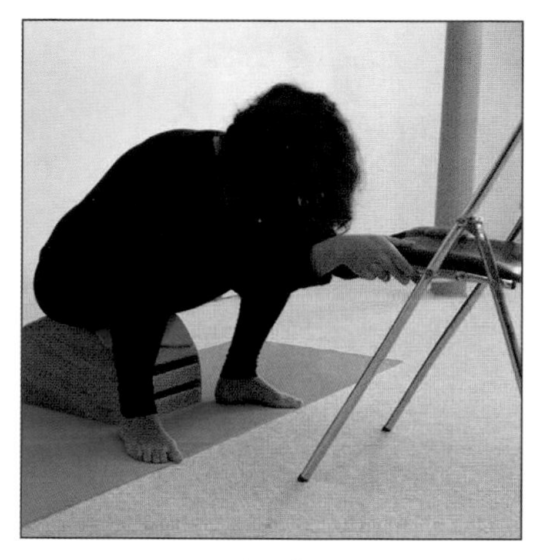

Fig. 2

El estiramiento de los brazos, si se realiza con ayuda, libera la caja torácica y acaba aliviando todavía más el suelo pélvico (fig. 3).

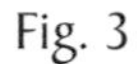

Fig. 3

Flexión de caderas con las piernas separadas

Separar los pies un metro, aproximadamente, y mantenerlos en paralelo. Colocar las manos sobre los calces flexionando las caderas y con la espalda neutra (figs. 1 y 2).

Fig. 1

Fig. 2

Si los isquiotibiales no se alargan y hacen bascular la pelvis, también podemos apoyar las manos en el respaldo de una silla (fig. 3).

Fig. 3

Torsión de sirena

Para una mujer embarazada, las torsiones siempre son delicadas si no utiliza una respiración activa con la elevación del perineo, para evitar empujar al bebé.

Sin embargo, son muy interesantes porque permiten estirar los oblicuos y realizar un masaje visceral profundo.

Colocar un ladrillo de espuma debajo de la nalga derecha y realizar la postura de la sirena (fig. 1).

Fig. 1

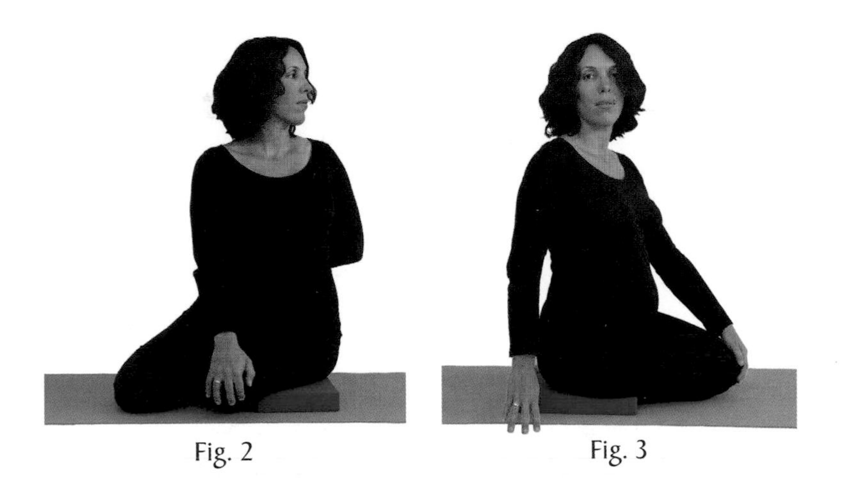

Fig. 2 Fig. 3

Colocar la mano izquierda sobre la rodilla derecha e ir girando la espalda progresivamente hacia la derecha. Iniciaremos la torsión con la espiración y la elevación del perineo (fig. 2).

Hay que respetar la verticalidad de la espalda alineando cadera, hombro y oreja (fig. 3).

Detener la torsión con una espiración activa para regresar muy despacio mientras ralentizamos el resorte de la columna.

Variantes con la pelota grande

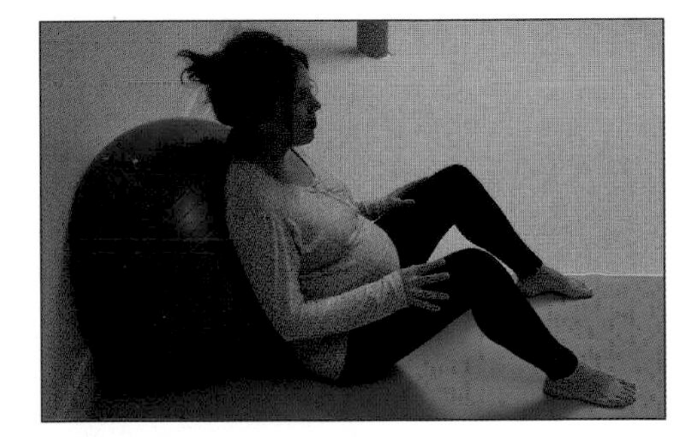

Todas estas posturas permiten tener una espalda bien estirada sin tensiones.

La mujer puede tenderse con el vientre sobre el balón para percibir mejor la respiración en la espalda.

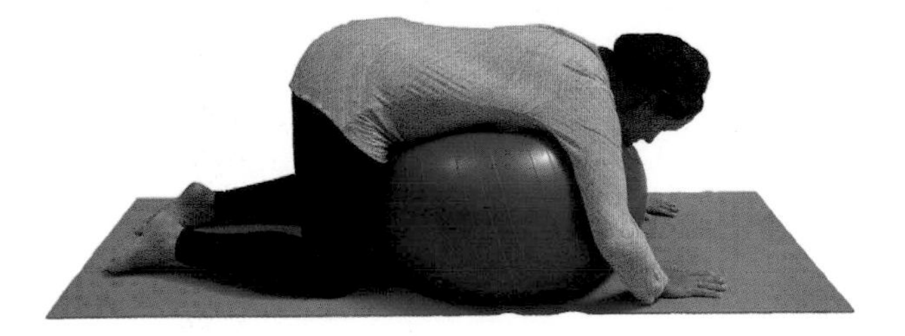

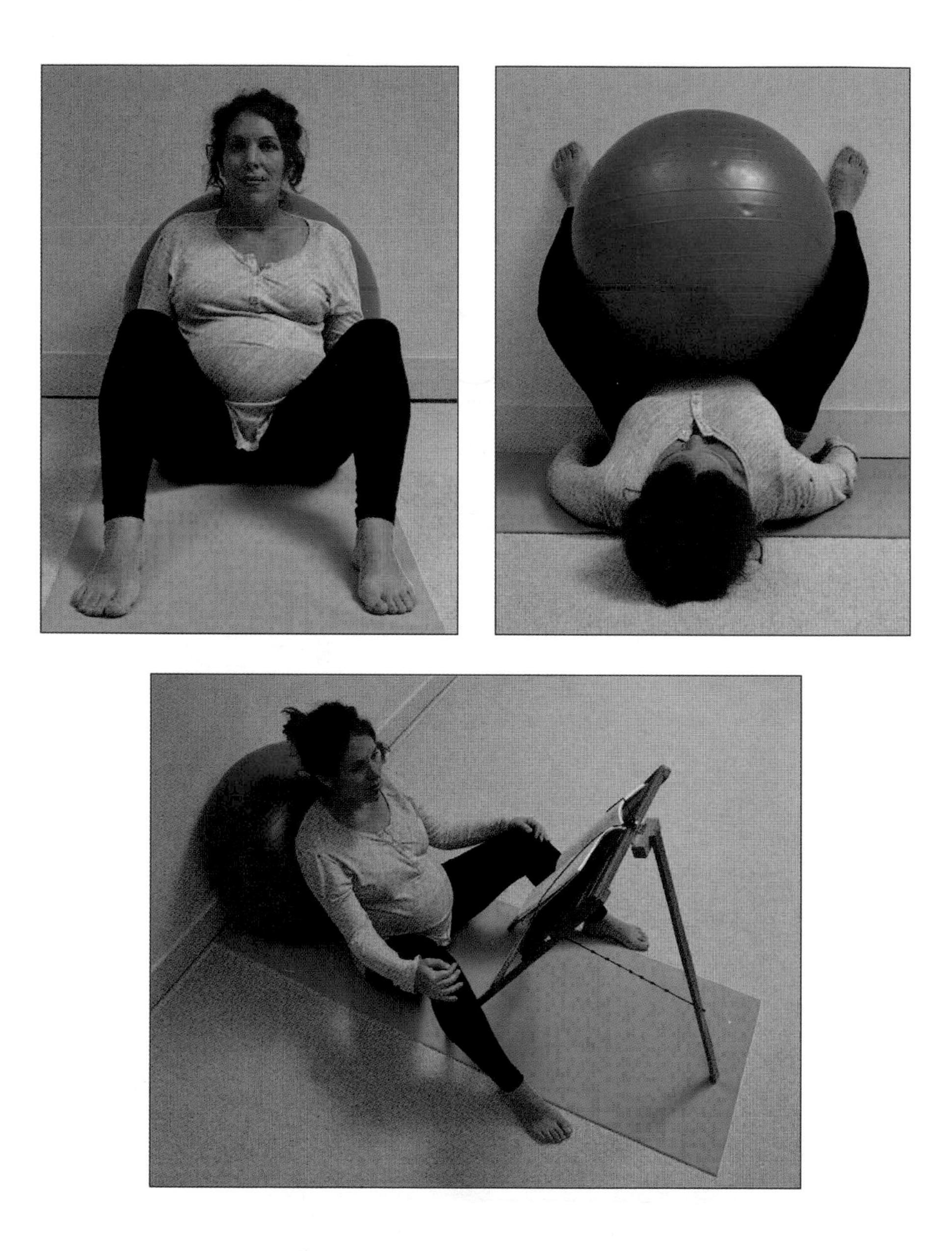

Abertura de la pelvis con la pelota grande

La postura de sentarse encima de la pelota (fig. 1), que es muy interesante durante el embarazo, puede resultar muy cómoda durante las contracciones del parto siempre que no curvemos la espalda (fig. 2).

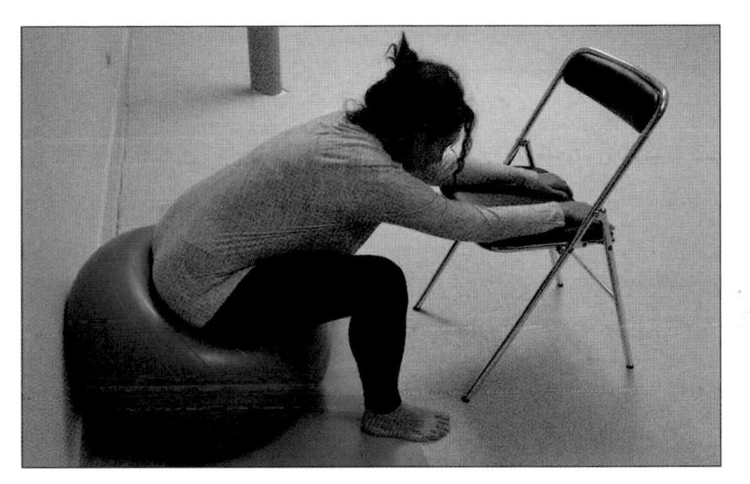

Fig. 1

Posición incorrecta

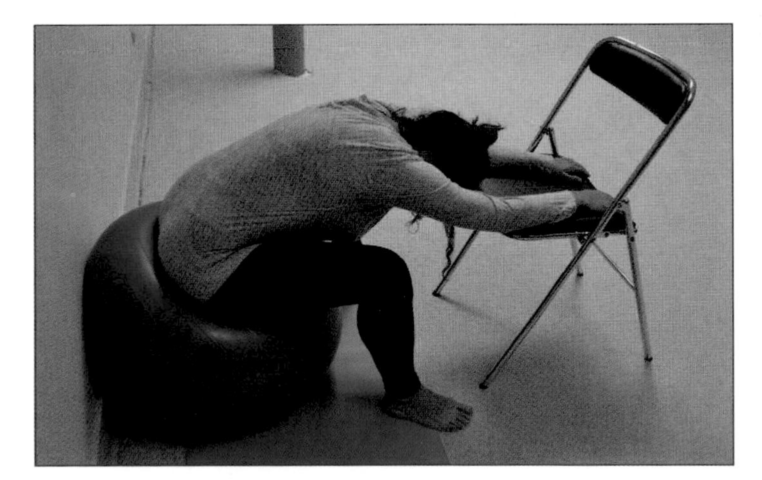

Fig. 2

Extensión de la espalda con la pelota grande

Sentarse sobre la pelota (fig. 1).

Fig. 1

Dejar resbalar las nalgas hacia delante mientras mantenemos el contacto de la espalda con la pelota (fig. 2).

Si es necesario, colocar un calce debajo de la cabeza (fig. 3).

En cuanto a la respiración, dejemos que la espiración se produzca en un primer momento. ¿Por qué nos cuesta tanto soltarnos?

Lo que bloquea el diafragma no es el bebé; son todas nuestras tensiones. No desviemos el tema. Observemos con otros ojos lo que sucede en nuestro interior y después podremos avanzar.

Para verificar que el movimiento de la inspiración no llega a la pelvis y revela el aislamiento del suelo pélvico, basta con colocar las manos sobre el bajo vientre.

¿No habíamos dicho que el abdomen desciende hasta el diafragma pélvico?

Hemos visto que los músculos abdominales profundos también están en la espalda, entonces, ¿por qué nos cuesta tanto acceder a esa profundidad?

Y la espiración llega más tranquila, como una ola que debería nacer del fondo de la pelvis si no nos oponemos. Sin embargo, con frecuencia observo lo contrario: el suelo pélvico se endurece y a veces calla en un silencio pesado que invita a la renuncia.

Fig. 2 Fig. 3

Con el cojín bolster: acompañar la respiración

Colocar la columna sobre el cojín y estirar el bajo vientre colocando el sacro en el suelo al final del cojín.

Sentir la respiración en todas las etapas.

Dejar que la respiración fluya.

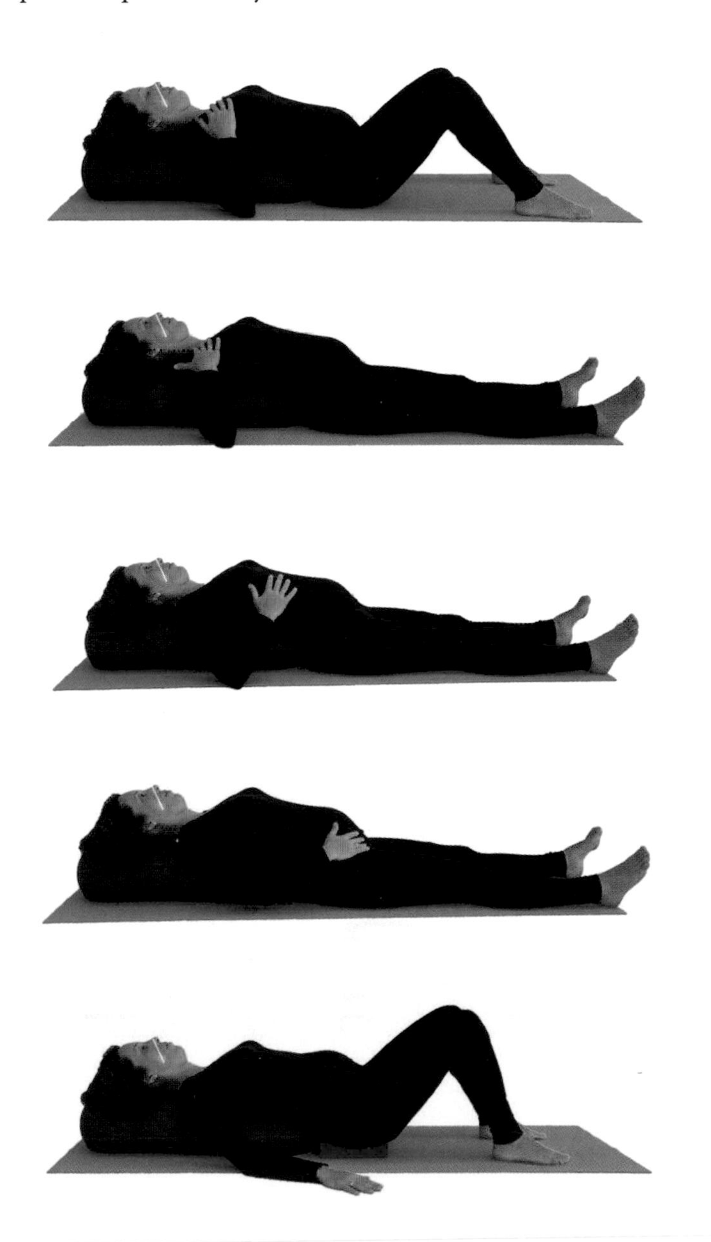

El parto

A lo largo de este capítulo, observaremos con más detalle las ilustraciones de Cécile Nivet.

Para mí, el parto fue una apertura absoluta. No estaba preparada, porque nunca estamos realmente preparados para lo que nos espera, ni siquiera después de haber practicado yoga durante los nueve meses y de los cursos de preparación al parto con las comadronas.

Aunque la falta de preparación no debe impedirnos hacerlo, porque nos coloca en una posición de mayor predisposición ante lo que se presenta. Y hablo de predisposición porque nadie está seguro de nada en una situación tan extrema como ésta, y debemos dejar de creer que, con una buena preparación, todo irá bien. Simplemente, intentamos trabajar para tener la suerte de nuestro lado y, después, hay que confiar en el presente.

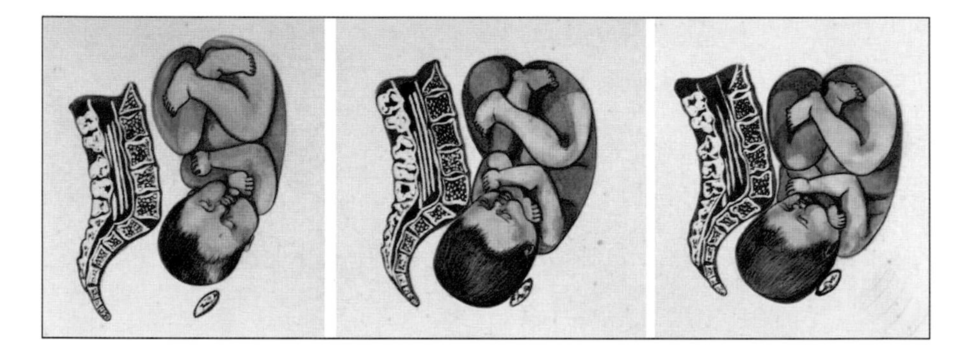

Mientras escribo estas palabras, mi hija celebra sus veinte años, y celebro los veinte años de mi parto. Y, aunque lo he comentado sobradamente en mi libro anterior, no puedo resistirme a escribir cuatro palabras al respecto, porque me queda la belleza del acontecimiento.

Recuerdo mi entusiasmo camino del hospital, porque había soñado muchas veces con ese momento. Y estuvo a la altura de mis sueños, aunque no fue tan dulce, sino una tempestad inolvidable.

Estaba presente, no quería perderme nada de lo que la vida me había propuesto vivir y, realmente, creí que no podría. No salió como estaba previsto, porque me costó abrir la pelvis y sabía que la epidural no podía ser la respuesta correcta. No quería desviarme de mis convicciones, sólo quería que me acompañaran (y aquí podríamos hablar largo y tendido sobre lo que sucede en las salas de parto). No esquivemos nuestra responsabilidad como mujeres, que nos hace preferir la técnica y la comodidad sin medir las consecuencias.

Yo no me identificaba con esta dinámica de comodidad. Después de horas de lucha conmigo misma, mi perineo se abrió, el bebé salió y lloré de felicidad.

Cuando lo revivo, recuerdo los largos paseos por la montaña que daba para ir a ver la salida del sol. Me tenía que levantar muy temprano y vivir el camino hasta la cima, que podía resultar fatigante, pero el deseo de ver la salida del sol era tan fuerte que me daba la energía necesaria para seguir caminando. No obstante, también es cierto que, a lo largo del camino, también había momentos en que quería parar y retroceder, pero sólo pensaba en avanzar y, cuando llegaba a la cima, me encontraba con la salida del sol en todo su esplendor y daba las gracias. A veces había niebla, pero jamás me arrepentía porque el camino de aproximación siempre deja sus marcas.

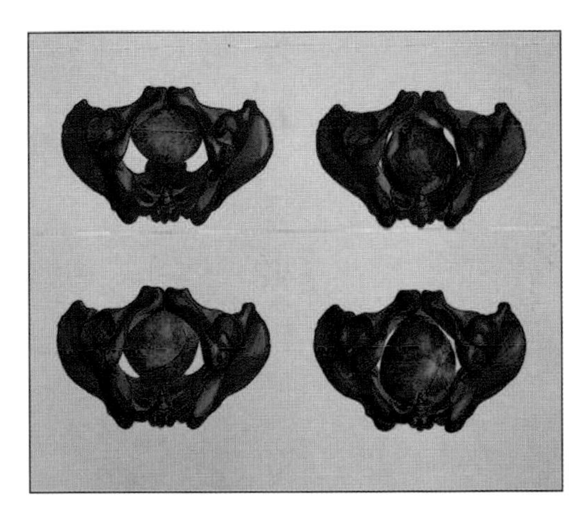

El yoga es una ayuda considerable en estos períodos de la vida y es mejor ayudar a la mujer a que viva lo que tiene que vivir, a vivir su laberinto, que quitarle los obstáculos del momento y endulzarle el camino.

El objetivo del trabajo durante el embarazo es dirigirse hacia un nivel de conciencia más elevado. Es visualizar la salida del bebé, preparar el cuello del útero ante la dilatación que permitirá que el bebé «escape», permitir que el perineo se abra sin rasgarse, visualizar y vivir la separación.

En las salas de parto, todavía se escucha que la mujer debe empujar como si quisiera defecar. «Durante los empujones, la comadrona riñó a mi amigo, que me animaba a seguir espirando en lugar de bloquear la respiración», me relató una de mis alumnas.

Aparte de que esa imagen no es demasiado poética, también puede ser bastante destructora si pensamos que ir al baño es empujar cuando, en realidad, se trata de abrir las puertas del perineo y dejar que el empujón se viva en el interior mediante movimientos de olas. La espiración se convierte en nuestra aliada.

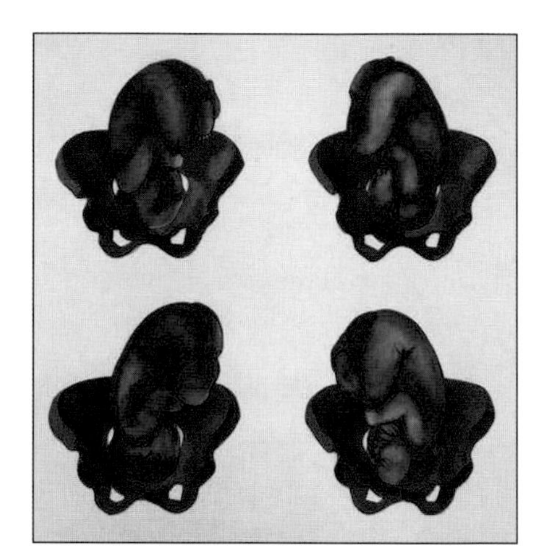

Bernadette de Gasquet hace mucho tiempo que es muy clara a este respecto, y en concreto en su libro *Périnée, arrêtez le massacre.*

Ayudé en el parto de una mujer a la que había acompañado durante el embarazo. Fue una petición de la pareja, porque el marido quería estar presente pero no se veía acompañándola durante el proceso.

La mujer me presentó a la comadrona como profesora de yoga, cosa que no iba a facilitarme la tarea. Aunque debo decir que la comadrona me aceptó muy bien y vivimos una buena colaboración.

En seguida supe cuál era mi lugar. Estuve con la mujer, todo el tiempo, y le masajeé el sacro a cada contracción para aliviar la zona. Además, respiraba con ella, con suavidad, y no dejaba de repetirle que no espirara tan deprisa, porque cuando llegaba la contracción tenía tendencia a acelerarse.

Había elegido dar a luz sin epidural y me había pedido que la ayudara a mantenerse firme en esa decisión. Nos costó mucho hacérselo entender a la comadrona, que se la proponía continuamente a pesar de que todo iba bien. También le propuso varias veces hormonas para acelerar el parto mientras que la mujer no pedía nada y quería tomarse su tiempo. Tenía que protegerla de todas las agresiones externas que parasitaban sus decisiones.

Pude ayudar en el parto y durante todo el proceso, que ella tuvo que vivir tendida sobre la espalda, la ayudé mucho colocando la mano encima del sacro y dirigiendo al bebé hacia delante. La comadrona sólo le decía que empujara al bebé y yo me acerqué a la mujer y le susurré que espirara y descomprimiera el perineo. El parto se desarrolló sin ninguna dificultad.

Esta alumna tuvo dos hijos más. Su marido la acompañó durante los dos partos y la mujer me dijo que su cuerpo se acordaba de todo lo que había aprendido durante el primer parto.

El posparto

En lenguaje corriente, hablamos del «posparto», aunque yo prefiero hablar del «mes de oro», como en la medicina tradicional china. Me parece más poético.

Observemos cómo el perineo ha tenido que abrirse completamente para permitir que el bebé lo atravesara.

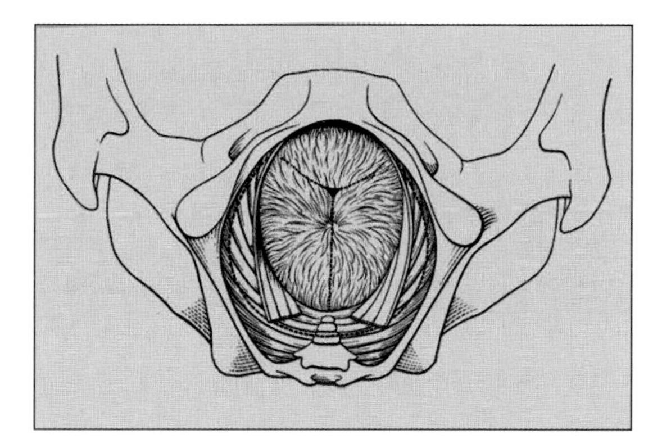

¿Cómo recuperar la fuerza de los músculos después de una dilatación tan grande?

En la mayoría de los casos, la percepción ha desaparecido y es muy desestabilizante. ¿Cómo volver a educar un suelo pélvico que ya no existe?

A veces, si ha habido episiotomía o desgarro, puede ser doloroso.

Para empezar, creo que sería más justo hablar de educación y no de reeducación, porque la mayor parte de las mujeres no conocen esta zona de su cuerpo, a pesar de que hayan tenido hijos, y la descubren por las dificultades que presenta.

Existen métodos manuales, con las comadronas o los kinesiterapeutas, y existen métodos más radicales, como la electricidad, que muchas mujeres describen como algo traumático.

¿Qué hay que hacer?

Cuando una mujer acude a mí después de haber dado a luz, casi siempre ha trabajado conmigo durante el embarazo, ha guardado las marcas y ahora puede buscar en su interior. Pero las que no tienen estos conocimientos me piden un auténtico trabajo de iniciación.

Recuerdo la frase del maestro Eckart: «Tenemos que reencontrar el camino de esa profundidad para la práctica del recogimiento, del silencio interior, del abandono y del dejar ser, y negarnos a instalarnos en la superficie».

Aquí no hablamos de la práctica del recogimiento o del silencio interior, sino de una aceptación de lo que es, abandonarse a la situación del momento, y en seguida hablaremos de iniciar el recogimiento y el silencio interior.

Y claro, si consideramos que el yoga es todo lo que se vive en el momento presente, aquí todo es yoga.

La mujer acaba de vivir un gran cambio en su cuerpo. El bebé la ha zarandeado, ha vivido dentro de ella y ha salido por un orificio de su cuerpo. Después de estar llena y rebosante, a veces se siente vacía, frágil y con el cuerpo deformado.

Y nadie duda en hablar de depresión posparto. A pesar de que a veces la mujer pueda atravesar una etapa depresiva y pueda necesitar ayuda psicológica, lo más normal es que sólo necesite que la acompañen y la escuchen. ¿No sería mejor hablar de «retorno», de profundas dudas vitales, de sacudidas?

A menudo, después del parto, la mujer se olvida de ella, porque la madre está demasiado ocupada con su hijo y ya no tiene tiempo de preocuparse por ella.

Quizá tarde un tiempo en volver a mí pero, de nuevo, a veces las disfunciones, los dolores en el cuerpo y las inquietudes son las que nos piden volver al orden anterior y nos invitan a retomar el trabajo que habíamos iniciado.

Durante el embarazo, hemos trabajado el perineo para que fuera sólido y flexible, y ahora resulta que no dice nada, no tiene vida. Tenemos una sensación de vacío, de pérdida, como si todo se nos escapara.

Si nos han hecho una episiotomía, incluso puede resultar doloroso.

El vientre está distendido y parece que ya no tiene nada que decir.

A veces, aparecen varices en las piernas, los kilos de más no desaparecen y la imagen del espejo es ridícula. Ya no nos atrevemos ni a mirarnos.

Cuántos momentos de duda y angustias donde la mujer está sola con sus preguntas, sus deseos no verbalizados, el deseo de recuperar la vitalidad de antes, de perder el vientre, de recuperar la talla de joven, etc.

Escuchar ese deseo es, ante todo, permitir la reflexión. ¿Es realmente tan importante tener el cuerpo de antes? ¿No sería mejor observar este nuevo cuerpo que ha guardado las marcas de esta historia única, descubrir todo lo que el embarazo ha podido cambiar en el fondo de nosotras y evitar volver a cerrar todo lo que se ha abierto?

Volver a interesarse por el perineo es recuperar la conciencia de la vida en esta zona.

Y recuperar la conciencia de la vida suele significar tener que hacer frente a lo que se nos escapa. La mujer puede sentirse empequeñecida y humillada ante la pérdida de control de los esfínteres. Si le cuesta retener la orina, ¿no podríamos hablar de lágrimas que le revelan las dificultades del momento y que tiene que pararse a escucharlas?

Al principio, hemos visto que el perineo es como un trampolín que sirve para rebotar, no para hundirse.

No debe soportar todo el peso. Cuando todo está en su sitio, es ligero y elástico. Aunque claro, todavía hay cosas que no han regresado a su sitio y hay que esperar un tiempo, aunque eso no quiere decir que no podamos hacer nada.

Si ya se ha iniciado el «trabajo» durante el embarazo, el cuerpo recordará qué es la verticalidad, la suavidad, la ligereza, la fuerza, la contracción, la no contracción, las nociones de equilibrio y desequilibrio, y recurrirá encantado a los recuerdos.

Si falla la memoria, hay que tomarse un tiempo para reconsiderarlo todo y realizar un encuentro profundo con nosotros mismos, con el fondo del fondo.

Trabajo que propongo

Al principio, todo lo que se pueda hacer tendidos en la cama. Empecemos a movilizar el perineo lo antes posible después del parto. También podemos estirar las piernas con una cincha.

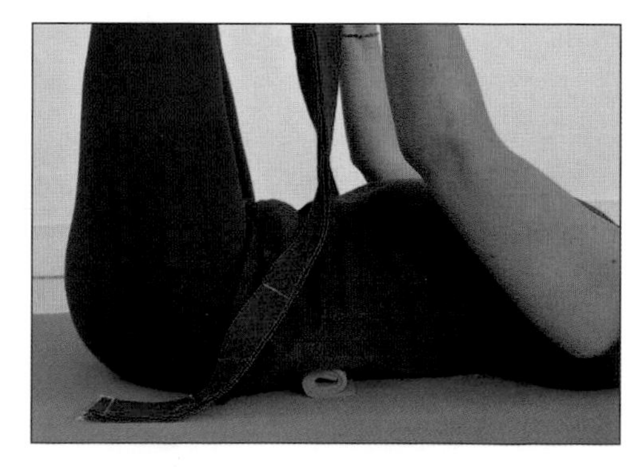

Cuando cerremos las piernas no debemos cerrar el perineo.

No intentar hacer demasiado para evitar subir las nalgas y doblar la espalda. Hay que mantener la espalda neutra.

Es posible estirar la espalda colocando un pequeño rollo en las distintas alturas de la espalda

Posición correcta

Posición incorrecta

para volver a encontrar la extensión con suavidad.

No dudemos en retomar posturas como el gato, el perro, la tabla de dos pies, etc., que ya hemos visto con anterioridad, porque nos ayudarán a aliviar el perineo y a estirar la columna.

Las posturas de pie no son recomendables hasta que la mujer haya recuperado fuerza en el perineo y, sobre todo, nada de posturas que la agoten.

En cuanto a los abdominales, tenemos todo el tiempo del mundo y, casi siempre, regresan solos a su sitio si la mujer amamanta y moviliza el perineo.

En relación a la respiración, tenemos que recuperar el camino de la espiración y pensar en el uddiyana bandha (la falsa inspiración), siempre que iniciemos el trabajo elevando el perineo como hemos explicado en el capítulo sobre la respiración.

Actualmente, muchas comadronas utilizan este trabajo de yoga en los ejercicios de reeducación que proponen, y yo no dudo en enviar a sus consultas a las mujeres que acuden a mí, puesto que una comadrona tiene más medios para comprobar si el perineo trabaja de forma correcta.

La menopausia

«Cada vez que entramos en una nueva etapa de la vida, se abre una crisis más o menos intensa. No se trata de una crisis patológica, sino de una crisis existencial normal que hay que superar y vivir con urgencia, y que corresponde a un proceso de evolución natural», dice Catherine Bergeret-Amselek en su libro *La femme en crise ou la ménopause dans tous ses éclats.*

También nos explica que la menopausia «es una especie de pliegue que suele hacer vacilar, es una articulación que provoca una ruptura en la sensación de continuidad de ser, es una marca del tiempo [...] donde se mezclan la impresión de caerse por un precipicio sin fin y el miedo al vacío».

Esta impresión de caer no quiere decir que vayamos a caer. ¿Acaso no estamos a punto de tocar en lo más profundo de nuestro ser para un nuevo despegue hacia una mayor madurez?

En la medicina china se habla de la segunda primavera, mientras que hay quien nos quiere hacer creer que es el principio de todas las catástrofes para la mujer. Parece que todo se derrumba, el perineo no asume sus funciones, ya nada soporta a los órganos internos, los huesos son más frágiles, etc. Y es una depresión general.

¿Cómo no venirse abajo en este ambiente melancólico?

Para hablar de este período he decidido compartir mi experiencia porque, únicamente a partir de ahí, puedo escuchar a cada mujer hablar de lo más íntimo.

La menopausia me llegó a los cuarenta y tres años, como a mi madre y a la mayoría de mis hermanas. De hecho, mi madre ya no volvió a sangrar después de haber perdido a su tercer bebé y, efectivamente, se sumió en una depresión. Casi todas mis hermanas siguieron la misma pauta y yo estaba decidida a vivirlo de otra forma. A partir de los cuarenta años, empecé a leer todo lo que podía al respecto; había algo en mí que me empujaba a hacerlo y no quería que me pillara desprevenida.

A los cuarenta y tres años, podría parecer que yo también iba a repetir la historia de mi madre. Recibí el golpe y lo único que podía hacer era vivirlo de otra forma.

Al menos, esta precocidad me ofreció la posibilidad de no tener que seguir preocupándome por los anticonceptivos.

Sentía una fatiga anormal, algo que podría parecerse a la depresión, pero rechacé la idea en lo más profundo de mi ser y, como todo lo que había decidido desde hacía un tiempo, vi una oportunidad para interesarme por esa nueva etapa de mi vida.

Mi perineo se había vuelto caprichoso. A veces se encerraba en su caparazón, a veces dejaba escapar todas las lágrimas de mi cuerpo y, a veces, era la sequedad más absoluta. Parecía que ya no podía contar con él y notaba que la medicina estaba dispuesta a aprovechar esta ocasión para venderme todas sus píldoras hormonales. Pero, sin ninguna duda, no se lo puse fácil y, además, había leído muchas cosas que señalaban en esa dirección. Aparte del trabajo de yoga, tenía que darme tiempo y aceptar la fragilidad del momento.

Incluso, en ocasiones, tuve la tentación de renunciar a la sexualidad, porque se convirtió en un obstáculo para mi marido y para mí. Y sí, mi sexo no respondía y no quería alimentarlo con el exterior porque me parecía que, a largo plazo, no sería la mejor opción.

En un momento así, tuvimos que proponer un profundo diálogo y una confianza renovada. Y la encargada de establecer ese diálogo es la mujer. Es muy fácil echarnos las culpas, el miedo por no satisfacer al otro, no estar a la altura y que nos deje, etc. La mujer puede perder toda su autoestima y, si echa en cara al otro lo que ella misma ha creado, luego no puede sorprenderse de las consecuencias, que pueden ser desastrosas.

Nunca estarán solucionados todos los problemas, pero conozco mis recursos y, ante cada dificultad, siempre guardo la esperanza y no he renunciado a mi sexualidad, fuente de felicidad.

¿Es necesario superar siempre el obstáculo para avanzar? Lo que es seguro es que no hay que esquivarlo cuando se presenta, porque es un auténtico camino de iniciación, siempre que no nos encallemos en el sufrimiento e iniciemos una dinámica nueva.

El yoga forma parte de esta dinámica. Jamás he dejado de practicarlo con una mirada constantemente renovada.

Yoga y menopausia

Todas las posturas de yoga nos permiten volver a centrarnos, permanecer en nuestro eje y estar presentes en nuestro cuerpo y en nosotras mismas. Sin embargo, determinadas posturas son más pertinentes que otras en este período de la vida.

Estoy leyendo un dosier de Estelle Jacobson, profesora de yoga y discípula de la escuela de BKS Iyengar, *«Ménopause – la voie du yoga»*, y debo decir que me ha servido de inspiración.

Las posturas que más me han ayudado son las invertidas. La vela, que ya he descrito con detalle en la serie de posturas invertidas, sigue siendo mi favorita. Eso sí, hay que hacerla con los hombros protegidos y una cincha en los codos para evitar cerrar la garganta. También es la postura que más me ha acompañado cuando he tenido problemas de hipertiroidismo.

Esta postura es reconocida por realizar un masaje en la tiroides, pero también por su efecto refrescante en el cuerpo, con lo que se evitan los sofocos.

Estelle Jacobson dice que, en general, las posturas invertidas, ya sean sobre la cabeza, las manos, los hombros (la vela y el perro), que colocan la parte superior del cuerpo o el cuerpo entero del revés, pueden reducir notablemente la incidencia y la intensidad de los sofocos y los sudores nocturnos.

Judith Lasater, profesora de yoga y psicomotricista, explica: «Las inversiones tiene un efecto espectacular en la hemodinámica (el flujo de sangre hacia cada órgano del cuerpo) y un efecto notable (y calculable) sobre las glándulas endocrinas que controlan las variaciones de hormonas que se producen durante la menopausia».

«Colocar la cabeza hacia abajo y los pies hacia arriba engaña al cuerpo y le hace creer que la tensión arterial ha aumentado, puesto que los receptores que miden esta tensión están ubicados en la zona del cuello y el pecho», explica Roger Cole, profesor de yoga y psicobiólogo que ha dirigido estudios sobre los efectos psicológicos de las posturas de yoga.

Hace ya tiempo que sabemos que la vela tiene un efecto particularmente calmante sobre la actividad del cerebro. BKS Iyengar siempre nos pide que la realicemos después de la postura sobre la cabeza.

Las posturas invertidas también alivian el fondo de la pelvis y descomprimen el perineo. Además, toda la sangre de la venas desaparece de las piernas y una sangre fresca fluye por la región pélvica y abdominal.

Geeta Iyengar dice que las posturas inclinadas hacia delante, con flexión de caderas como la uttanasana, calman particularmente el sistema nervioso.

Pienso en la postura de uttanasana que suelo proponer a los principiantes, con las manos apoyadas en el respaldo de una silla, para mantener la espalda neutra y evitar estirar demasiado la parte baja de la espalda.

Es cierto que, para calmar la mente, es mejor realizar estas posturas que las arqueadas, pero no podemos ignorar las posturas de extensión que abren nuevas perspectivas y evitan encallarse demasiado en los problemas de cada una.

Pasaje perro con cabeza abajo, perro con cabeza arriba

Felicity Green, alumna de BKS Iyengar, dice que las posturas de yoga que implican las cápsulas y los riñones ayudan a aumentar los niveles de estrógeno en el cuerpo y recomienda especialmente las torsiones.

No puedo hablar de las torsiones sin hablar de la respiración. Una torsión mal hecha puede provocar demasiada presión sobre el abdomen.

Siempre recomiendo realizar las torsiones con la espiración y empezar elevando el perineo, para asegurarnos de que las vísceras también se elevan en lugar de quedar aplastadas.

Siempre hay que ejecutarlas con la espalda neutra, respetando las curvaturas.

Y en cuanto a la osteoporosis tan comentada en la actualidad, ¿no suele decirse que el yoga alimenta los huesos?

BKS Iyengar siempre decía que estiráramos los huesos, aunque yo no entendía demasiado bien qué quería decir. Ahora sé que cada estiramiento profundo vivido con la respiración afecta a los huesos. Los huesos están hechos de tejido esponjoso que se renueva continuamente y, por tanto, están vivos. Continuemos nuestro trabajo postural y respiratorio y nuestros huesos estarán continuamente alimentados.

Partamos de los apoyos de los pies en la postura del perro con la cabeza abajo.

Pasar de la flexión a la extensión de caderas con las ondulaciones de la columna.

Avanzar lo menos posible.

Cuando no tenemos apoyos, las nalgas no necesitan cerrarse.

El perineo y la menopausia

Estelle Jacobson nos recuerda que «los descensos en los niveles de estrógenos implican cambios en los tejidos de la vagina y el útero. Al principio de la menopausia, las mucosas de la vagina y de la uretra son más secas, más finas y menos flexibles. El flujo de sangre hasta esa zona disminuye, la vagina se encoge y la mucosa cervical disminuye. Para algunas mujeres, estos cambios pueden conllevar más infecciones vaginales y ganas de orinar con más frecuencia. Algunas mujeres tiene problemas urinarios debidos a una debilidad del suelo pélvico, que tiene tendencia a deformarse durante la menopausia».

No volveré a hablar sobre el trabajo del perineo, pero debemos saber que la menopausia suele sacar a relucir un problema que no se había tratado con la suficiente atención hasta ese momento.

Un camino común para hombres y mujeres

El envejecimiento

Recuerdo que un día oí a alguien decir que ser viejo es entrar en el arte de envejecer. ¿Por qué no se oyen más a menudo estas palabras, que tanto bien nos hacen?

Entremos en el arte de envejecer.

¿Qué es envejecer?

Es vivir. Desde que nacemos, empezamos a envejecer. Entonces, ¿a qué viene esa visión tan negativa del envejecimiento?

¿Ser niño o joven son los mejores momentos de la vida? ¿De verdad que querríamos ser niños o jóvenes para siempre?

Hemos visto que, en cada etapa, tenemos que recorrer un camino y, en cierto modo, darnos la vuelta para visualizar el futuro con una mirada nueva.

Y es lo que nos cuesta más.

Cuando nos encontramos con algo agradable, querríamos que durara para siempre y nos aferramos a ello. Pero no dura para siempre.

¿No deberíamos aprender a perder cada día para abrirnos a lo que nos aportará el nuevo día?

Nuestros miedos nos ciegan y nos impiden recibir con confianza cada nuevo día.

Estamos rodeados de personas mayores que nos hacen felices y que permanecen abiertas a la vida, y otras que la sufren y se encierran en ellas mismas. ¿Y no sucede lo mismo con los jóvenes?

Todos vivimos momentos en que nos sentimos envejecer terriblemente con una sensación de peso y melancolía pero, por suerte, no es algo lineal y, al día siguiente, podemos sentirnos más jóvenes a pesar de que seguimos envejeciendo.

En la cultura china tradicional, se respeta la llegada de la vejez y se venera y respeta mucho a las personas mayores. Representan la sabiduría acumulada y colectiva.

Sin embargo, en nuestra cultura no es lo corriente.

Las personas mayores, cuando se encuentran solas o en una residencia para la tercera edad, pueden perder contacto con la realidad y vemos cómo se degradan en su propio cuerpo. Casi todas terminan con problemas de incontinencia que hacen necesario el uso de protecciones.

¿Cómo vivir con dignidad con pañales y más cuando a veces, en los colectivos, se impone como medida de precaución?

Esta cuestión me afecta bastante; no puedo aceptar esta idea y sé que, para que algo no suceda, no basta con rechazarlo. Todo lo contrario.

Examinemos este asunto y hablemos de todos los problemas de incontinencia que son el pan de cada día para muchas mujeres. (En su libro sobre el perineo, Bernadette de Gasquet relata que afecta a una de cada dos mujeres).

Todo el trabajo que propongo a las mujeres con problemas de incontinencia lo he experimentado en mi cuerpo y sé que siempre debemos buscar la flexibilidad y la firmeza.

Consolidar una zona no quiere decir cerrarla, sino acoger y flexibilizar. El perineo, como todas las zonas del cuerpo, no debe convertirse en hormigón que por fin nos dejará tranquilas durante el resto de nuestras vidas.

A veces se endurece y, otras veces se reblandece. A veces realmente puedes contar con él y, otras veces, te abandona sin avisar. A veces reacciona ante la mínima caricia y, otras veces, se encierra en sí mismo y no hay nada que lo haga reaccionar. A veces es una fuente que brota y, otras veces, es la más absoluta sequedad. A veces se muestra feroz y, otras veces, tímido. A veces es goloso y, otras veces, no tiene hambre.

No está muy alejado de lo que he vivido y lo considero como una muy buena guía.

Dejemos de ver el envejecimiento como el descenso al infierno. Hay momentos de dudas profundas y momentos de gran alegría.

Confieso que, para mí, envejecer es mucho más gratificante, porque cada vez me siento más viva en mi cuerpo.

Confío en el futuro, pero es una confianza dirigida por la acción. Es toda la enseñanza desde Krisna hasta Arjuna en la Bhagavad Gita. Nos pide que entremos en acción sin querer recoger los frutos. Eso no quiere decir que no recogeremos nada, pero pocas veces será lo que habíamos imaginado.

El yoga se convierte en esta acción de forma cotidiana. El hecho de sentir mi cuerpo cada vez más vivo no me evita los sinsabores de la vida, pero tengo menos miedo y me siento activa.

Llegará un día que el cuerpo nos abandonará pero, hasta entonces, no lo abandonemos.

Mientras podamos realizar las posturas sobre la cabeza y de pie, hagámoslas, porque nos darán mucha fuerza para continuar.

Postura sobre la cabeza con el semicírculo

Puede que un día tengamos que dejar estas posturas, pero no por ello el yoga se acaba. Podemos examinar posturas más suaves, más meditativas, aunque no debemos hacerlo antes de tiempo creyendo que la meditación o el estudio de los textos serían un camino más noble o más espiritual. No olvidemos que, ante todo, el yoga se vive en el cuerpo. Es más difícil engañar al cuerpo que al intelecto.

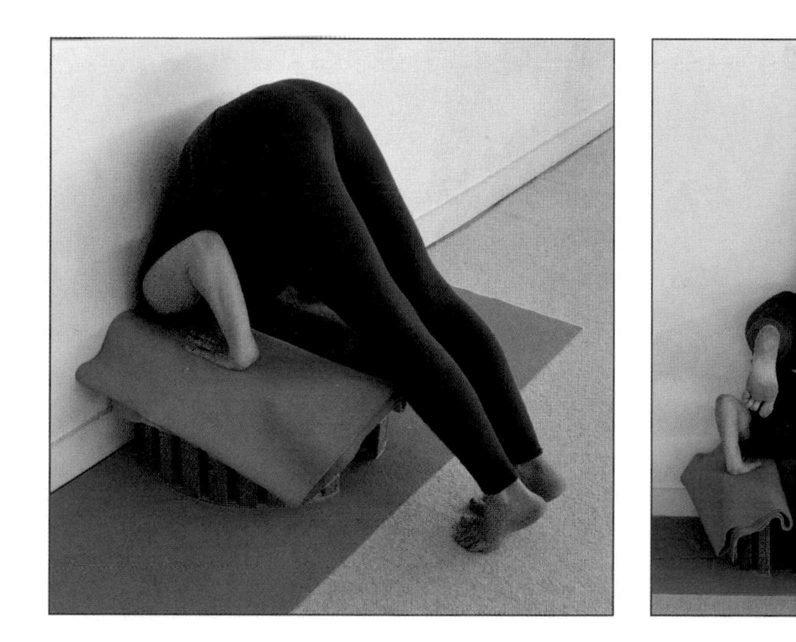

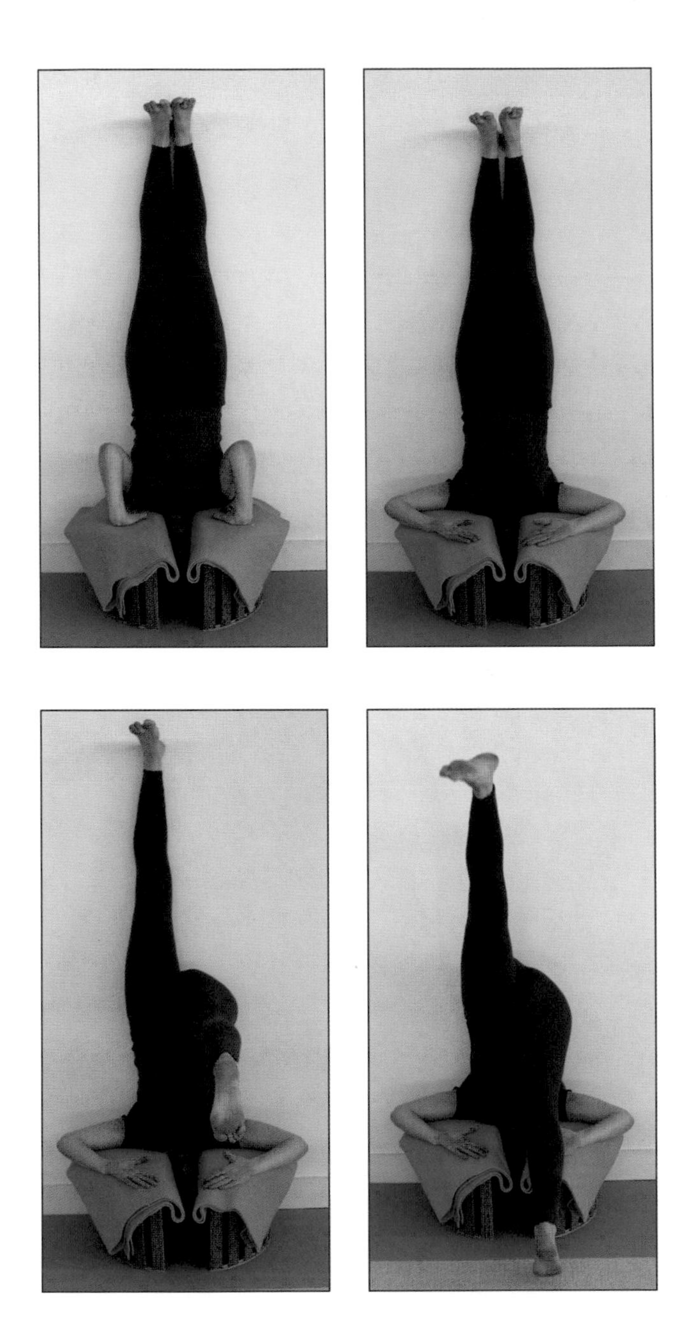

A este respecto, acabo de leer una entrevista que la revista *Esprit Yoga* realizó a Arnaud Desjardin poco tiempo antes de su muerte, a los ochenta y cinco años. He aquí lo que decía:

> El yoga es una cultura física excepcionalmente inteligente. La he practicado con asiduidad durante años. Y ahora, a los ochenta y cinco años, todavía noto los beneficios. Todavía hay algunas posturas, muy pocas, que me permito realizar cada día para mantener cierta flexibilidad. Para la vida espiritual, la vida demasiado corta, es indispensable contar con un punto de apoyo físico. La espiritualidad que deja el cuerpo a la deriva es inimaginable. La práctica de las asanas, la respiración, aprender a espirar y no concentrar toda la atención en la inspiración… Todo eso es inmensamente valioso.

También dice que las asanas no bastan para trasformar a alguien por dentro. Y nos habla de los yoga sutra y de la meditación.

Los yoga sutra son una pautas éticas muy importantes, a la altura de los diez mandamientos o los libros de leyes en nuestra cultura. Hablar de estos yoga sutra no quiere decir en la moral religiosa, que a veces nos trae malos recuerdos, sino ver cómo estos valores éticos son importantes en nuestro camino y cómo el yoga, si se vive en profundidad, influirá en nuestra manera de ser. Vivimos en un ir y venir constante.

La meditación no es sentarse y dejar la mente en blanco. Es, ante todo, un estado de espíritu que encontramos a través del yoga.

En cuanto al pranayama, se puede practicar a cualquier edad. Respiramos hasta que morimos, así que es mejor aprender a respirar bien.

Y terminaré con este magnífico poema de Henri Bauchau (psicoanalista y escritor), que apareció publicado en la revista *La vie.* Henri Bauchau es un hombre muy mayor que sigue escribiendo. En este poema, nos relata sus fragilidades con una gran profundidad.

> Al Liberado
> Señor, Señor Dios, por encima de todos los nombres
> Libéranos como lo deseaba el Maestro Eckhart
> Libéranos, no del amor, sino de Tu imagen
> Como has liberado mis oídos del ruido del mundo

Y me has dejado casi sordo
Como me has liberado del delirio de fuerza y posesión
Y me has dejado casi ciego
Separado, enfermo en mí mismo, no me encierres Contigo
Concédeme la libertad donde, a veces, cuando me despierto, te siento tan
[cerca
Está la tempestad solar de la iluminación, la súplica,
la pobreza de los corazones y la misericordia
Cuando el Señor pasa por delante de Elías en el libro de los Reyes
Se produce el murmuro de un silencio tenue
Yo no he sido, no estoy preparado para estas conclusiones
Estoy delante de Ti, con mi escritura y no he añorado ni esfuerzo ni alegría
Concédeme, como a los Reyes Magos, poder seguir la estrella del ardiente,
[ardiente amor
Que pueda conocer al fin el libre florecimiento que es, que está ahí, que eres Tú
Oh silencioso, subterráneo, soberano Señor de las aguas, las plantas, los seres
[vivos
Y de la alimentación de todos.

Habría podido terminar el capítulo con la cuestión del envejecimiento, habría sido lo lógico pero, como ya he dicho antes, todo lo que aparece en un momento determinado de la vida no es el principio del proceso.

Los problemas de perineo que aparecen con la vejez a menudo empiezan en la infancia. Volvamos al origen e interesémonos por lo que ha podido suceder durante la infancia y la adolescencia. Y habremos cerrado el círculo.

La infancia

Como la mayoría de los niños, estábamos cómodos sentados en el suelo, agachados o manteniendo una sólida verticalidad. ¿Por qué lo hemos perdido todo? Y puede perderse muy deprisa.

En el momento en que queremos poner a los niños en sillas, objetos que no les suelen gustar, empiezan a perder su movilidad.

Colaboro con una asociación humanitaria en Ladakh. Ayudamos a dos escuelas y apadrinamos a los niños.

Los pequeños están sentados en el suelo y se mueven, como todos los niños, pero sin molestar. No hay ruidos de sillas ni movimientos bruscos. No se frustran al tener que estar sentados y, por consiguiente, no están tan nerviosos.

Oigo a algunos occidentales que se ofenden por esta situación y proponen ofrecerles sillas, como si se tratara de una falta de medios. Por desgracia, los más mayores ya tienen sillas, porque se les exige que se preparen en las escuelas superiores, pero lo llevan muy mal.

Es necesario saber que, en determinados países, las mujeres que se pasan el día agachadas para realizar las tareas cotidianas no tienen, al parecer, problemas de fibromas ni infecciones de orina, y dan a luz con más facilidad.

En cuanto a los problemas de incontinencia, cuestionémonos nuestra educación durante la infancia.

En cuanto a la incontinencia, recuerdo haber leído que Françoise Dolto explicaba que un niño no está a punto para controlar esfínteres hasta que sabe subir las escaleras.

Hagámonos estas preguntas:

¿Me obligaron a controlar esfínteres demasiado temprano y, por consiguiente, tuve que retenerme?

¿Me obligaron a caminar demasiado temprano, antes de que mis piernas pudieran soportar mi peso? Aquí, gatear es muy importante porque el niño flexibiliza las caderas y la pelvis. Obligar a un niño a andar antes de tiempo puede endurecerle el perineo y que sea más frágil.

¿Me condenaron a estar mucho tiempo en el orinal y tener que apretar para sacar el precioso regalo que mamá esperaba? ¿Me han subido demasiado pronto a los sanitarios de adultos sin un lugar donde apoyar los pies, cosa que me obliga a empujar con las vísceras?

Más adelante, ¿me obligaron a aguantarme mis necesidades durante demasiado tiempo?

¿Y cómo eran los sanitarios? ¿Estaban limpios, lejos, en un lugar sórdido?

¿Cómo eran los sanitarios del colegio? ¿Teníamos que esperar a la hora del patio para salir de clase?

¿No nos han humillado a todos con algo relativo a este asunto?

Entender el porqué de un problema no va a cambiarlo de forma inmediata, pero hay que saber que tendremos que volver a cruzar los lienzos de esta historia en nuestro cuerpo y que, quizá, seremos más receptivos ante lo que vivimos.

¿Cómo olvidar esas situaciones humillantes que recuerdo a veces, que han supuesto auténticos traumas, y que han podido hacer que uno pierda la confianza en sí mismo?

Y todos los miedos y culpas se acumulan en esta zona. Todos hemos explorado con vecinos o primos, pero a escondidas y con sentido de culpa. Si nos sentíamos realmente agredidos, no podíamos comentarlo porque los adultos estaban demasiado ocupados y, a menudo, cerraban los ojos a esas situaciones.

¿Los adultos siguen mostrándose igual de ausentes? Cabe esperar que en la actualidad estén más atentos, porque hay mucha más información. Hay que estar muy atentos, en casa o en la escuela, a todo lo que los niños puedan experimentar en este terreno, y no hay que dudar en iniciar una conversación sobre todas esas cuestiones que, si el niño las vive solo, pueden traumatizar y volver a salir en la adolescencia.

No obstante, no veamos el mal donde no está, porque todo es cuestión de medida.

El yoga y los niños

Durante más de veinte años, organicé un curso de yoga con niños, aparte de mis intervenciones en los colegios. Acabo de dejar el curso en manos de una de mis alumnas, que me ha sustituido. Hablar de este curso no es interesante para el libro, puesto que no les planteaba todas estas preguntas. Sí que las planteaba, y lo sigo haciendo, a los adultos que los rodean.

Cuando daba una conferencia en un colegio, pedía a los adultos que colocaran un pequeño banco o un calce debajo de los pies de los niños para que pudieran sentarse correctamente sobre los isquiones y que pudieran erguirse con más facilidad. No recuerdo que nadie me hiciera caso, pero no desespero.

La adolescencia

Para abordar este período de la vida, voy a relatar una experiencia que hace años que vivo con los adolescentes.

Durante casi diez años, he sido educadora de adolescentes y me encantaba el contacto cotidiano con esos jóvenes que no dejaban de «molestarme» y de interrogarme sobre el sentido de la vida.

Yo misma tengo recuerdos muy dolorosos de mi adolescencia. Todo estaba a flor de piel, a menudo me sentía sin argumentos y encolerizada contra todo lo que me parecía injusto. A veces estallaba y me invadía la violencia, y otras veces me encerraba en mi caparazón y me bloqueaba hacia mí misma y hacia los demás.

Somos muchos los que hemos vivido esta etapa con dolor, con la impresión de que nadie nos entiende, de estar absolutamente desprovistos de argumentos, abandonados.

Sin duda, mi trabajo como educadora me ha permitido «reparar» algo de esa etapa. Aunque no he terminado, porque sigo siendo muy sensible a estos jóvenes, a los que a menudo traen sus padres que a veces también se quedan sin argumentos, como me ha sucedido a mí con mi hija en determinados momentos.

En los cursos de yoga, los inicio en sus cuerpos y pongo palabras a sus silencios. Les hablo del respeto hacia ellos mismos, del respeto hacia sus cuerpos cuando suelen ser muy descuidados y despreocupados.

En el colegio, el cuerpo casi no existe. El deporte no suele tener nada que ver con lo que yo les propongo. Nadie les ha enseñado a mantener la verticalidad, a caminar, a correr, a sentarse, etc. A menudo, nos dejamos llevar más por los resultados que por la precisión. Además, solemos apuntarlos a deportes de grupo para que aprendan a socializar cuando quizá tienen ganas de que les dejemos tranquilos y puedan estar solos. Sin mencionar las actividades extraescolares, que no les dejan tiempo ni para respirar.

En numerosas ocasiones, he oído decir que los niños y los jóvenes tenían ganas de moverse para administrar mejor el estrés y la agresividad, y a veces tendrían que hacer lo contrario. El deporte puede generar estrés y violencia.

El yoga permite responsabilizarse personalmente de todos los instantes de la vida.

También es una escuela de rigor, de flexibilidad, de paciencia, de apertura a uno mismo.

Preocuparse de uno mismo y de su cuerpo durante este período es realmente una ayuda incomparable. A veces los veo tan torpes, tan rígidos, tan inocentes, tan nerviosos y tan inquietos que me emociono ante su vulnerabilidad.

En general, suelen apreciar el curso individual. Estar solo con un adulto que te escucha es muy importante. Además, aunque les cueste hablar de ellos, hablan sus cuerpos y puedo poner palabras a lo que sus cuerpos expresan. Ellos sienten que los escucho, los reconozco, los respeto y, a veces, liberan un torrente de palabras.

No obstante, en general acuden al curso en grupo y yo presto atención a que se sientan atendidos individualmente dentro del grupo.

¿Cómo abordar todas estas preguntas sobre el perineo con los jóvenes?

Con simplicidad. Como a los adultos, antes de empezar el curso les pido que se coloquen de pie delante de mí, que apoyen los pies en el suelo, que enderecen la cabeza, que bajen los hombros y que respiren. ¡Y sólo Dios sabe lo mucho que les cuesta!

El curso se realiza un sábado por la mañana y, a pesar de que la mayoría ha elegido inscribirse, no siempre tienen ganas de estar allí, de levantarse temprano, y me los encuentro dormidos, apoltronados y un poco gruñones. En general, la clase empieza de pie y los invito a crecer, que funciona mejor que si les digo que tienen que erguir la espalda. Los estiramientos ayudan a esta verticalidad y a este crecimiento.

Sigo el mismo programa que con los adultos, pero el ritmo y las palabras son un poco distintos. No hay que olvidar que su cuerpo está en plena trasformación, que la gran mayoría no ha tenido relaciones sexuales y que las chicas hablan de la menstruación como un «fastidio» (y estoy siendo muy fina). Aunque claro, las mujeres que las rodean también hablan de sus menstruaciones en esos términos.

En lo relativo al trabajo específico del perineo, durante mucho tiempo separé a chicos y chicas pensando que sería más fácil, y ahora lo hago con todo el mundo, y parece que no supone ningún problema. Todo lo contrario. Cuestión de experiencia.

Empiezo enseñándoles las ilustraciones anatómicas para explicar qué sucede en su interior. Les perturba un poco, a veces se ríen (sobre todo los chicos), pero casi siempre prestan atención y están en silencio. Y un día, uno me dijo: «Al menos, tus ilustraciones son bonitas porque, normalmente, en los libros, son asquerosas…».

Intento hablarles del perineo con un compromiso absoluto. Respondo a las preguntas que no hacen pero que están en el aire, y les hablo de amor, de respeto hacia ellos mismos y hacia el otro.

Cada postura les hace conocerse un poco más. Les hace aceptar que tienen que relajar las nalgas, separar los muslos (algo que no resulta fácil para las chicas, y menos durante la menstruación), descomprimir el bajo vientre, «sexo», «ano», «uretra», «gesto de retener la orina»...

También les hablo de la importancia de llevar ropa cómoda, de ponerse cómodos cuando estén en casa para que el sexo esté más fresco, aprovecho para hablar de los baños derivativos (*véase* más arriba), y todo esto en una única sesión. Y creedme: están muy concentrados.

Recuerdo que, al final de la clase, una chica tomó la palabra y me hizo la siguiente y pertinente pregunta: «¿Por qué, cuando hablamos de esto en el colegio, todos se ríen?». ¿Por qué? Le contesté con otra pregunta: «¿Por qué aquí nadie se ha reído?».

A la semana siguiente, la madre me dijo: «No sé qué hiciste con los chicos durante el curso pero mi hija ha vuelto encantada». La chica no lo había comentado en casa y yo lo respeté.

Normalmente, no me niego a comentar las sesiones con los padres. Creo que ellos también tienen que estar preocupados por todas estas cuestiones y deben ayudar a sus hijos a estar más cómodos en este terreno. Suelo hacer partícipes a los padres.

Cuando percibo que la relación es muy complicada, intento provocar el diálogo para abrir puertas en la relación.

Una sesión de yoga para adolescentes

Alix, Chirine y Brieu hace tiempo que acuden a mis clases y se conocen bien. Les pedí que participaran en el libro con una sesión de fotos.

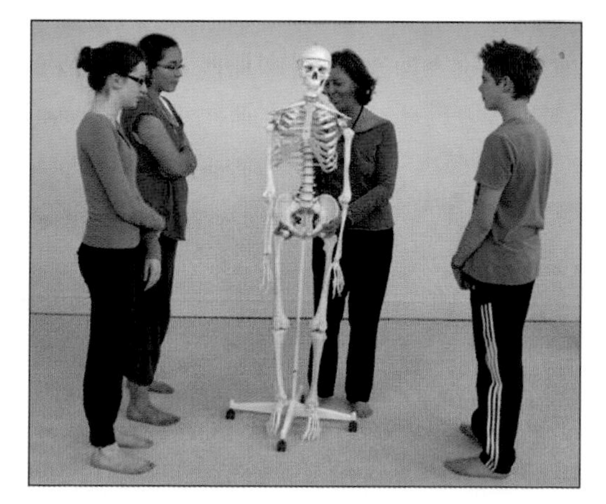

Todas las imágenes pertenecen al mismo día, en un marco de gran concentración y os las muestro tal cual y sin comentarios, porque me parecen muy vivas a pesar de que, en alguna ocasión, las posturas habrían merecido alguna corrección.

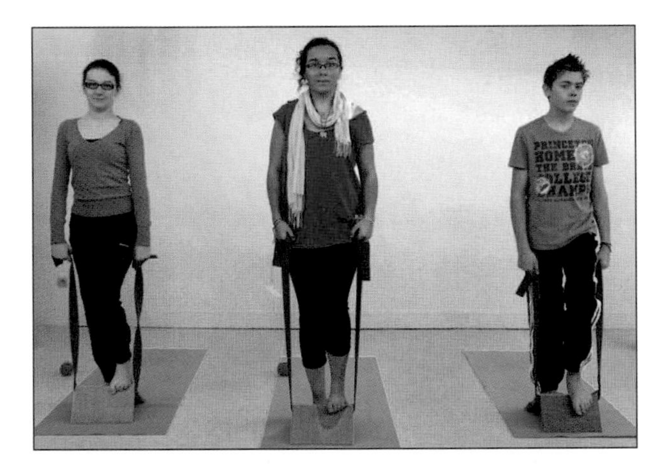

HOME
THE

HOME
THE

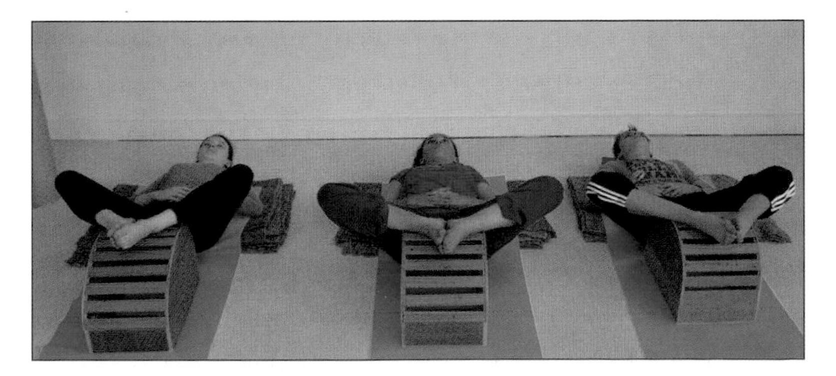

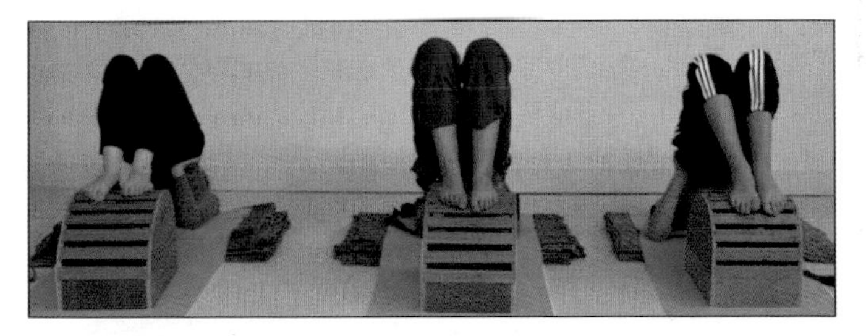

Tercera parte

Mi trabajo de colaboración

El yoga es un estado de espíritu. Es una investigación global que me ha llevado a interesarme por otras disciplinas como la osteopatía, la medicina tradicional china, el pilates, etc.

Como he repetido a lo largo de este libro, mi investigación ha bebido, a veces, de determinadas lecturas pero, sobre todo, de encuentros.

Trabajar con nuestro cuerpo de forma cotidiana nos redirige continuamente a preguntas nuevas. A veces, me he encontrado en un callejón sin salida, mi cuerpo ya no respondía como yo quería y los dolores aparecían sin que pudiera comprender el sentido y, sobre todo, sin que supiera cómo salir de aquel bucle.

Y, cada vez, la solución resultó ser un nuevo encuentro y una apertura a una especialidad que no conocía y que venía a alimentar mi trabajo de yoga. Ahora pienso que esos momentos de duda han sido una suerte, porque me han permitido conocer a otros terapeutas.

Esas personas no sólo han aparecido para curarme, sino que me han trasmitido una sabiduría que aplico en mi trabajo de yoga.

Utilizo lo que he aprendido con Andrée Jevayon, comadrona a domicilio que me acompañó durante mi embarazo. Nuestra relación continuó, vino a mis clases y, antes de morir, me entregó varios documentos y me pidió que continuara con su obra.

He trabajo mucho con Marie-France Rolland, ortofonista que utilizaba el canto y los sonidos en su trabajo. Yo solía perder la voz, pero nunca el canto. No hablábamos de reeducación, sino de educación, y en seguida establecí un vínculo con mi trabajo de yoga, del que ella también se impregnó.

También realicé una formación de yoga y osteopatía con el osteópata y practicante de yoga Dominique Martin, del libro *Comment entretenir et proteger son patrimoine physique*. He aprendido mucho acerca del sistema osteoarticular y utilizo este trabajo de forma habitual para ayudar a mis alumnos a ejecutar las posturas de yoga con suavidad y respetando la anatomía.

Mi marido y yo lo invitamos a nuestro local para que diera una clase delante de nuestros alumnos.

También podría hablar de mis encuentros semanales con Yves Gloaguen sobre la enseñanza de pilates, que me recuerda mi trabajo de danza con Corinne Banel-Rivière y Michel Bégny. El pilates, en sus orígenes, estuvo muy influenciado por el yoga. De hecho, su creador practicaba yoga e inventó varios movimientos sirviéndose de muelles y agarraderas para facilitar los estiramientos de la musculatura profunda. Yves conservó el estado de espíritu del yoga y, aparte de la máquina Reformer (una máquina de muelles y agarraderas), también utiliza una pelota grande, un rollo grande, un bastón, una bola, etc. Es decir, todo lo que nosotros utilizamos para permitir una mejor comprensión del movimiento.

Y podría continuar citando nombres porque, en el terreno del cuerpo, los intereses son infinitos. No se trata de dispersarse con distintas técnicas, sino de profundizar en aquellas que pueden alimentar nuestra investigación.

He elegido hablar con más detalle de mis encuentros con Arnaud Laforge, osteópata; Cendrine Cochard, acupuntora; y Jean-François Ardouin, dentista cirujano, porque todavía forman parte de mi presente. Trabajamos conjuntamente, para mí y para mis alumnos.

Lo que los tres tienen en común es que trabajan sobre la globalidad del cuerpo. Me planteo las mismas preguntas que ellos y tengo la suerte de poder conversar con cada uno de ellos de forma regular acerca de mi práctica y mi trabajo de enseñanza.

Encuentro con Arnaud Laforge, osteópata

Mi encuentro con Arnaud fue «por casualidad» pero, como sucede siempre con los encuentros, no fue tanta casualidad. Me había hecho un esguince en el tobillo, era el mes de vacaciones y acudí al único osteópata que estaba disponible. Y debo admitir que su enfoque sobre el tobillo, dirigido hacia lo visceral, me interesó mucho.

Arnaud habla con los tejidos. Nos pide que respiremos en la zona que está trabajando, para dejar espacio. Siempre dice que respiremos en el interior, en la espalda, para no empujar las vísceras hacia abajo.

Habla con las vísceras, trabaja para devolver el espacio a lo que está bloqueado y conseguir que lo que está pegado «resbale». Trabaja sobre las «adherencias» provocadas por las tensiones, las cicatrices y las hormonas que ingerimos.

Siempre intenta devolver la movilidad a la zona enferma.

Arnaud no trabaja en nosotros sino con nosotros. Con él, nunca me he sentido manipulada como me ha podido suceder a veces con otros «técnicos del cuerpo».

Este trabajo no termina nunca, voy a verlo de forma regular y creo que, sin su valiosa ayuda, jamás habría podido profundizar tanto con el yoga.

Gracias a su trabajo, puedo contactar con mis vísceras yo sola, dejarles espacio y darles movilidad; y todo eso con la respiración.

Además, se ha especializado en los niños de pecho pero no rechaza a nuestros alumnos porque, según él, con el yoga, los tejidos responden como los de un bebé.

También trabaja con mujeres embarazadas y con mujeres que no pueden tener hijos.

No voy a retomar todas las preguntas que me hago acerca de la esterilidad, el embarazo y el parto, porque ya las abordé ampliamente en mi primer libro, pero sé que somos muchos los que nos las hacemos y eso es lo que permite que podamos trabajar en una misma dirección, cada uno con sus herramientas.

Encuentro con Cendrine Cochard, acupuntora

Hace mucho tiempo que Cedrine viene a mis clases, pero tuve que acudir a ella por un problema de tiroides.

No puedo hablar de Cedrine sin relatar el camino que recorrí hasta materializar nuestro encuentro.

Hacía aproximadamente un año que iba a la consulta de otro acupuntor por unos problemas de fatiga y digestión difícil.

Este hombre me hablaba mucho de mi forma de comer y, en cada visita, aportaba elementos nuevos, cosa que me interesaba mucho.

Sin embargo, mi estado se agravaba, cada vez estaba más cansada, el corazón se me salía del pecho, adelgazaba de forma evidente y mi ánimo empezaba a preocupar a mi entorno.

Tenía que mirarme la tiroides.

Fui a ver a una endocrinóloga que me habló de un hipertiroidismo y me propuso un tratamiento de dos años de duración para que la tiroides descansara. A ella le parecía muy sencillo y evidente, pero a mí no. Esta reacción me llevó a visitar a una endocrinóloga homeopática, que era más de mi estilo, a quien le pareció aberrante detener el funcionamiento de una glándula para que se curara.

En primer lugar, me preguntó acerca de mi forma de vivir y de mi alimentación. Los síntomas eran bastante violentos, así que me dio un tratamiento para apaciguarlos mientras me decía que era algo provisional y que me tenía que curar yo sola.

Eso sí que lo entendí.

De repente, recuperé la confianza en los médicos que te dicen que busques en ti y admiten que, al final, no pueden hacer gran cosa por ti, únicamente guiarte y acompañarte.

Tenía que reencontrarme, estaba perdida en medio de una actividad desbordante que no me dejaba espacio para ocuparme de mí. Incluso mi yoga seguía ese ritmo. Sin embargo, estaba tan ahogada y cansada que la única opción que tenía era bajar el ritmo. Pero hacer una cosa porque hemos decidido hacerlo y sentir que es lo mejor exige mucha más madurez que hacer algo porque no podemos hacer otra cosa.

Empecé a poner en práctica los baños derivativos que ya he comentado y que era algo que estaba a mi alcance.

Al cabo de un año de tratamiento homeopático, baños derivativos y cambios profundos, ya me encontraba mejor.

Un día, tuve la oportunidad de comer con Cendrine, que me habló detalladamente de su trabajo. En seguida comprendí que podía ayudarme.

Desde la primera sesión, me escuchaba antes de clavarme las agujas y pude aclarar muchas cosas hablando con ella.

Después de la tercera sesión, decidí dejar de tomar la medicación, y no porque estuviera completamente curada sino porque había comprendido el proceso de curación y que ahora tenía que continuar sola.

No sólo había ralentizado mi ritmo vital sino que, además, no me apetecía en absoluto volver hacia atrás. Empecé a dar las gracias a mi tiroides por haberme guiado tan bien. La endocrinóloga me dio luz verde diciéndome que lo había entendido y que ahora ya podía confiar en mí misma. Me sentí apoyada en mi investigación y eso me dio fuerzas para continuar.

Ahora, más de tres años después, ya no tomo nada y sólo continúo con el trabajo de yoga y la medicina china.

La tiroides me permitió establecer un vínculo con todo lo que vivía en la zona del perineo.

¿No afecta la incontinencia a nuestros cimientos? Parece que todo se nos escapa, que ya no controlamos nada.

Con los problemas de tiroides, tuve la misma sensación. Parecía que el mundo se me escurría entre los dedos. Ya no me sentía yo misma a pesar de que quizá nunca había sido tan yo misma con mis dificultades para existir.

Tuve que aceptar el sentirme pequeña y que no era la persona perfecta que creía que era. Todavía me quedaba un largo camino por delante.

Estas dos zonas de mi cuerpo se convirtieron en los auténticos barómetros que escucho con gran atención.

Aunque, ¿no podríamos decir lo mismo de cada zona que presenta un síntoma?

Continúo viendo a Cendrine con regularidad, y ella también vive su yoga con asiduidad.

El intercambio es profundo, puesto que también tenemos muchos «pacientes» en común. Y sí, digo pacientes, porque es un trabajo a largo plazo que requiere perseverancia y paciencia.

Organizamos juntas los cursos «El yoga en femenino» y tenemos muchos más proyectos en común.

Encuentro con Jean-François Ardouin, dentista

Cuando hablamos de medicina china o de osteopatía, el vínculo con el yoga es bastante natural.

Mencionar el trabajo de un dentista es más peligroso y es, sin embargo, el tratamiento terapéutico que más me ha movilizado en una práctica cotidiana que requiere una gran implicación durante varios años.

Empecemos por el encuentro.

Se produjo gracias a su mujer, Josiane, profesora de yoga y que acudía a mis cursos. Siempre me decía: «Tendrías que conocer a mi marido. Hacéis el mismo trabajo».

Tardé un poco en aceptar, porque no veía la relación con el yoga y, sobre todo, creo que sabría que tendría que volver a hablar de lo que había vivido con mis dientes, y no me apetecía que nadie me tocara la boca, que tantos problemas me daba desde hacía tiempo.

El encuentro se produjo en un momento en que las encías me sangraban de forma habitual y lo único que me proponían era la cirugía, una opción que no me resultaba en absoluto atractiva.

Desde la primera visita, Jean-François me habló del simbolismo de los dientes y de lo mucho que le interesaba la investigación de Steiner, y ahí es cuando realmente empecé a prestar atención.

También me habló de un mínimo de seis años de tratamiento. Ya estaba acostumbrada a los tratamientos terapéuticos largos y sé, desde hace tiempo, que todo lo que va rápido puede resultar sospechoso y no dura.

Me sentí confiada porque no había ninguna promesa de éxito, pero sí una invitación a volverme a poner en marcha.

¿En qué consiste el tratamiento?

Jean-François no sólo habla de cuidados, sino de participación activa, de un trabajo a realizar, de una responsabilidad personal.

En seguida echó mano de lo que él llama un activador plurifuncional (cuyo origen son los canales Soulet-Besombes). Es una especie de canal flexible que se pone en la boca por la noche y que hay que masticar regularmente durante el día, siempre de forma acompasada con la respiración y la deglución.

Al principio, me pidió que practicara veinte minutos, tres veces al día, pero tenía que buscar el tiempo para hacerlo.

Pero en seguida lo encontré, cuando tomé conciencia de una manera más detallada de mis desequilibrios, de mi escoliosis y de los desequilibrios de pelvis que ya conocía pero que, hasta ese momento, no había descubierto de forma tan abierta.

También descubrí que, a pesar de todas las técnicas respiratorias que conocía a través del yoga, no sabía respirar. Yo creía que siempre respiraba por la nariz cuando, en realidad, casi siempre respiraba por la boca, principalmente cuando no era consciente y debido a una mala colocación de la lengua.

He aprendido que una lengua distendida no se coloca en la parte baja de la boca, sino en el paladar, detrás de los dientes. Por eso hay que llevar el activador durante la noche, para obligarnos a respirar por la nariz constantemente.

Mis dientes hablan, mi lengua habla, mis encías hablan. Me interrogó sobre mi forma de comer, de tragar saliva, mis silencios, mi forma de hablar, de respirar, etc.

Me costó entender que, siendo profesora de yoga, estaba acumulando altos niveles de cólera y una violencia tan grande que me estaba destrozando por dentro. Me estaba rompiendo todos los dientes y tenía las mandíbulas tan cerradas que se me amontonaban los dientes.

Al cabo de tres meses, los dientes de abajo se habían separado para dejar espacio a uno que hacía tiempo que no sabía dónde meterse. Y todo esto sin gomas ni forzar las mandíbulas.

Ahí nació una nueva dinámica. En seguida comprendí la importancia de ese trabajo y no me sentí sola, porque la palabra siempre ocupaba un lugar preeminente en cada visita, o incluso fuera de las visitas, por teléfono.

¿Qué hay que pensar del trabajo más reciente de los ortodontistas que se preocupan sobre todo de ordenar la boca sin pensar en lo que ha provocado todo ese desorden? ¿Y las muelas del juicio que, supuestamente, nunca encuentran su sitio y que las extraen casi de forma sistemática? ¿Es que hemos perdido el juicio? Veo las consecuencias en los jóvenes que acuden a mis cursos, puesto que casi no se atreven a abrir la boca, casi no hablan, las mandíbulas se les bloquean y las sonrisas desaparecen. Sin mencionar los problemas que esto puede suponer a nivel de la pelvis que, a su vez, pierde la movilidad, y eso que ya estaba afectada por todas las actitudes de debilitación. Conozco a jóvenes que realizan el trabajo que propone Jean-François que, sin duda, es mucho más exigente para ellos y sus familias, pero mucho más rico en experiencias, más dinamizador y más respetuoso con el ser humano.

Después de este paréntesis, sigamos con el relato.

Al cabo de seis meses, Jean-François retiró todas las amalgamas y coronas y las sustituyó por dientes provisionales.

Cuando mis dientes tuvieron más espacio, me habló de devolverles altura mediante calces.

Yo también utilizo calces en el yoga para paliar los hundimientos del cuerpo. Otra cosa en común.

La nueva altura en la boca supuso un principio de respuesta, porque sentí que crecía, y no únicamente a nivel corporal.

Después de dos años de tratamiento, a pesar de que todo iba muy deprisa, empecé a tener problemas de caderas y me quedé «coja». Tuve que dejar de dar clases durante casi un mes. Al principio me afectó bastante, y después lo viví como un alivio. ¿Acaso estaba demasiado centrada en mis dientes?

Después llegaron los problemas de tiroides que he relatado anteriormente y que hicieron que me planteara las mismas preguntas.

A Jean-François no le sorprendieron demasiado todas estas reacciones, pero le parecía que exageraba un poco. Todavía tenía voluntad. Yo, que a menudo hablaba de relajar las tensiones y de abandonarse a la respiración. Me sorprendía mintiéndome constantemente.

Lo más difícil fue cuando perdí un incisivo cuando creía que ya habíamos terminado el tratamiento. Me encontré con un vacío que era imposible disimular. No pude evitar plantearme acudir a los métodos tradicionales y preguntarme de qué me había valido todo lo que había hecho. Y, al mismo tiempo, algo en mi interior no tenía ninguna duda. La pérdida de ese diente fue como una brecha abierta a lo desconocido. El tratamiento adquirió una nueva dirección.

Acepté que no entendía nada y parecía que Jean-François también estaba sin argumentos, pero nunca me habló de dejarlo. Me aceptó tal y como era y eso fue, como en el momento de mi análisis, una «cura de confianza» en una mayor estima hacia uno mismo.

Cuando empezamos una nueva terapia, pensamos que todo irá bien y, en general, suele ser así. Pero desde que nos comprometemos con la terapia, no es raro que el resultado sea todo lo contrario. El trabajo acaba revelándonos lo que estaba escondido en algún rincón, y puede ser doloroso.

El trabajo con Jean-François no ha terminado y hoy sé que no terminará jamás pero, como para el análisis, creo que un día podré continuar sola y me importa muy poco lo que tarde.

Cada vez me fijo más en las bocas y no dudo en remitir a varios a de mis alumnos a la consulta de Jean-François.

Y ahora mismo pienso en una persona a la que acompaño de forma individual. A pesar de su profunda implicación, nos encontramos en este estancamiento personal y vi que tenía las mandíbulas apretadas, los dientes apelotonados y una pelvis que se negaba a abrirse.

Desde que ha empezado a ocuparse de sus dientes y de su boca, las caderas se han liberado y las posturas que le parecían imposibles de realizar son posibles. Ha recuperado la confianza que hacía tiempo que había perdido.

Todos nuestros volúmenes están relacionados. Basta con observar el esqueleto y comprenderemos que los volúmenes del cráneo, de la caja torácica, del abdomen y de la pelvis están realmente colocados uno encima del otro. Una pelvis ligeramente inclinada hacia delante basta para romper todo el equilibrio. Y cuando un volumen se bloquea, los demás también se cierran.

En el yoga, solemos pensar en los volúmenes abdominal y torácico, pero a menudo nos olvidamos del craneal.

Como acabamos de ver, a menudo necesitamos la ayuda de un «especialista» que no se limita únicamente a su especialidad, pero que conoce lo suficientemente una cuestión para permitirnos cambiar de punto de vista e iniciar una nueva investigación no «sobre mí» sino «en mí».

Como siempre en un trabajo de fondo, como el que proponen Arnaud, Cendrine y Jean-François, no se trata de ejercicios a realizar para ponerlo todo en orden, sino de un objetivo a cumplir cada día de nuestra vida.

Conclusión

Casi siempre, el interés por el suelo pélvico responde a un trabajo a realizar. Normalmente, nos enfrentamos (sobre todo las mujeres) a disfunciones que nos plantean preguntas.

Estos problemas pueden aparecer muy temprano y reactivarse durante el embarazo, el parto o la menopausia.

A veces, tenemos que pasar por momentos de angustia para acceder a un cuestionamiento profundo y tomarnos tiempo para nosotros.

¿No es cierto que el primer reflejo es querer recuperar el control y eliminar el síntoma que tanto nos molesta para que todo vuelva a estar en orden?

Eso es lo que hace que acabemos acudiendo a una medicina que normalmente nos propone eliminar inmediatamente los síntomas con soluciones a veces radicales.

No las aceptamos con alegría pero, ¿estamos realmente preparados para responsabilizarnos de nosotros mismos y cambiar nuestro estilo de vida?

Como dice Yvan Amar en *Le Maître des Béatitudes*: «Si alguien os quita un mal físico y os deja el mismo nivel de conciencia, os ha quitado el auténtico medicamento».

Ante un problema de incontinencia, se puede elegir reeducar el perineo de entrada o acudir a los «técnicos» que van a ayudarnos de urgencia, algo nada desdeñable pero que, a largo plazo, parecería que no hemos arreglado nada. Tenemos que contemplar un trabajo distinto.

Los hombres lo viven de otra forma. Pocas veces ven afectados de lleno sus cimientos, porque no se les descuelga, y los problemas de próstata los suelen enfrentar a la represión. Lo viven de una forma más introvertida y, sin duda, les cuesta mucho más comentarlo.

En todos los casos, se suele vivir con vergüenza y soledad.

Lo que proponemos en este libro es más divertido que los simples ejercicios. Se trata de que cada uno navegue en su historia, intente recordar y, sobre todo, salga de sus bloqueos. El yoga nos ofrece los medios para hacerlo.

Éste no es un libro de recetas; os entrego mi experiencia y, a partir de aquí, cada uno decide cuándo y cómo quiere ponerse en marcha.

Espero que este libro ayude a primar ante todo la palabra, con el deseo de liberar todos nuestros bloqueos y de ir hacia el otro yo que todos tenemos dentro.

Espero que este libro me permita encontrarme con más gente.

Bibliografía

BERGERET-AMSELEK, C.: *La femme en crise ou La ménopause dans tous ses éclats.* Desclée de Brouwer, 2005.

–: *Le mystère des mères.* Desclée de Brouwer, 1996.

CALAIS-GERMAINE, B.: *Le perinée féminin et l'accouchement.* Éditions DésIris, 2000. (Trad. cast.: *El perineo femenino y el parto*, Barcelona, Los Libros de la Liebre de Marzo, 1998).

CONJEAUD, B.: *Grossesse, hormones et ostéopathie.* Sully, 2005.

DEBECQ, G.: *Un ostéopathe et vous.* Daniel Castelain, 1997.

DOLTO, B. J.: *Le Corps entre les mains.* Hermann, 1976. (Trad. cast.: *La cinesiterapia práctica*, Barcelona, Paidotribo, 1995).

FRICHET, J.: *L'Homme et sa prostate.* Le Taïman Éditions, 2009.

–: *Ma prostate, son cancer et moi.* Le Taïman Éditions, 2009.

GASQUET, B.: *Périnée: arrêtons le massacre.* Marabout, 2011.

GUILLAIN, F.: *Les Bains dérivatifs. Éditions Jouvence*, 1995. (Trad. cast.: *Los baños derivativos*, Málaga, Sirio, 2008).

GUILLAUME, J. P.: *Être vivant: l'ostéopathie. nouvelle médecine humaniste. Anne Carrière*, 2009.

IYENGAR, BKS: *La voie de la paix intérieure.* InterÉditions, 2007.

–: *Lumière sur le pranayama.* Buchet-Castel, 1985. (Trad. cast.: *Luz sobre el pranayama*, Barcelona, Kairós, 1997).

JOYEUX, H.: *Femmes, si vous saviez!* 4.ª edición (actualizada y aumentada), F.-X. de Guibert, 2009.

KESPI, J. M.: *L'Homme et ses symboles en médecine traditionnelle chinoise.* Albin Michel, 2002.

LEBOYER, F.: *Si l'enfantement m'était conté.* Seuil, 1996. (Trad. cast. : *El parto: crónica de un viaje*, Barcelona, Alta Fulla, 1998).

MARTIN, D.: *Comment entretenir, protéger son patrimoine physique.* Éditions Sol'air, 1999.
PEREZ-CHRISTIAENS, N.: *Le Cou, base de l'aplomb cérébral.* Institut supérieur d'aplomb, 1982.
–: *Être d'aplomb.* 2.ª edición, Institut supérieur d'aplomb, 1983.
–: *De l'Allure, de l'allant, du bien-être?: retrouvez votre vrai cambrure.* Institut de yoga BKS, 1984.
–: *La Bascule du bassin? une catastrophe!* Institut de yoga BKS Iyengar, 1984.
SCHWEITZER, C.: *Ostéopathie intrapelvienne et arbre gynécologique.* Robert Jauze, 2005.
TRELAÜN, M.: *J'accouche bientôt et j'ai peur de la douleur.* Éditions Le Souffle d'or, 2008.
VAN LYSEBETH, A.: *Prânayâma, la dynamique du souffle.* Flammarion, 1971. (Trad. cast.: *Pranayama: a la serenidad por el Yoga.* Urano, Barcelona, 2002).
–: *Tantra, le culte de la féminité.* Flammarion, 1988. (Trad. cast.: *Tantra: el culto de lo femenino.* Urano, Barcelona, 1992).
ZELLER, A.: *À l'épreuve de la vieillesse.* Desclée de Brower, 2003.

Índice

Primera parte
Perineo y yoga, un cuidado global

Segunda parte
Un camino de iniciación

Tercera parte
Mi trabajo de colaboración